MENTES CONSUMISTAS

Ana Beatriz Barbosa Silva

MENTES CONSUMISTAS
do consumismo à compulsão por compras

principium

copyright © 2014 by Ana Beatriz Barbosa Silva
copyright © 2014 by Abbs Cursos e Palestras Eireli

Todos os direitos reservados. Nenhuma parte desta edição pode ser utilizada ou reproduzida – em qualquer meio ou forma, seja mecânico ou eletrônico, fotocópia, gravação etc. – nem apropriada ou estocada em sistema de banco de dados, sem a expressa autorização da editora.

Texto fixado conforme as regras do Novo Acordo Ortográfico da Língua Portuguesa (Decreto Legislativo nº 54, de 1995)

Editor responsável: Carla Fortino
Editor assistente: Sarah Czapski Simoni
Preparação do texto: Luciana Garcia
Revisão de texto: Elizete Mitestaines e Ana Maria Barbosa
Projeto gráfico: Mateus Valadares
Paginação: Linea Editora Ltda.
Capa: Adriana Bertolla Silveira
Imagens da capa: monticello/Thinkstock

1ª edição, 2014
3ª reimpressão, 2024

CIP-BRASIL. CATALOGAÇÃO NA PUBLICAÇÃO
SINDICATO NACIONAL DOS EDITORES DE LIVROS, RJ

S578m
  Silva, Ana Beatriz B. (Ana Beatriz Barbosa)
    Mentes consumistas : do consumismo à compulsão por compras / Ana Beatriz Barbosa Silva. – 1. ed. – São Paulo : Globo, 2014.

  200 p. ; 23 cm.
  ISBN 978-85-250-5719-8

  1. Compras. 2. Consumidores - Educação. 3. Finanças pessoais. I. Título.

	CDD: 681.33
14-12759	CDU: 366.14

Direitos de edição em língua portuguesa para o Brasil adquiridos por Editora Globo S.A.
Rua Marquês de Pombal, 25 – 20.230-240 – São Paulo / SP
www.globolivros.com.br

*Meus bens mais valiosos são aqueles que
dinheiro nenhum do mundo pode comprar.*

Sumário

9   INTRODUÇÃO

13 CAPÍTULO 1 — Ser ou ter?
    Uma questão que determina a nossa forma de viver

25 CAPÍTULO 2 — Sinais dos tempos:
    Grifes, redes sociais e descompromisso com o planeta

39 CAPÍTULO 3 — Do consumo necessário ao consumismo descontrolado:
    Quando o comprar vira vício

53 CAPÍTULO 4 — O comprador compulsivo:
    Uma visão mais detalhada

75 CAPÍTULO 5 — O admirável mundo novo do consumo:
Os shopping centers

89 CAPÍTULO 6 — Mercado consumidor infantil:
"Crianças de menos, adultos de mais"

107 CAPÍTULO 7 — Entendendo como o cérebro faz suas escolhas ou toma suas decisões

121 CAPÍTULO 8 — Você sonha, nós realizamos!
Neuromarketing: uma visão mais detalhada

145 CAPÍTULO 9 — O cérebro e sua eterna busca do prazer:
A origem das compulsões

161 CAPÍTULO 10 — Uma luz no fim do túnel:
Tratamento da compulsão por compras

173 CAPÍTULO 11 — Quanto vale a felicidade?
Está na hora de rever nossos conceitos...

191 SITES ÚTEIS

193 BIBLIOGRAFIA

Introdução

Nos últimos quinze anos, o número de pessoas que chegaram ao meu consultório aparentemente com quadros ansiosos e/ou depressivos aumentou de forma significativa. No entanto, pude perceber que, por trás de tanta ansiedade, angústia e depressão, grande parte daqueles jovens adultos escondia uma espécie de segredo, que só era revelado diante de alguma catástrofe iminente – quase sempre relacionada a dívidas contraídas ao longo de muitos anos: gastos descontrolados com coisas que todos julgavam ser uma forma inocente de se recompensar por situações de estresse. A meu ver, tal tragédia inevitável conectava-se às inerentes escolhas do viver, ou ainda às ilusórias crenças de que comprar para presentear era uma forma de agradar as pessoas amadas e, com isso, mantê-las ao lado.

Eu sabia que, de alguma maneira, aquela nova forma de adoecimento sinalizava um comportamento crescente e, longe de ser um fenômeno pontual, tratava-se de uma tendência na eterna busca humana pela felicidade. Passei a desenvolver um olhar mais atento sobre essa questão e, após mais de uma década de muitas anotações, pensamentos, dúvidas, questionamentos e percepções, resolvi organizar essa experiência em formato de livro. Tal iniciativa, além de me proporcionar respostas positivas em minha prática profissional, trouxe-me grande aprendizado sobre o que realmente tem significado e valor na minha vida pessoal.

Quando, em 2000, resolvi não mais tratar dependentes químicos, o fiz por absoluta sensação de impotência frente aos avanços tecnológicos das drogas sintéticas, que, ao serem fabricadas em laboratórios clandestinos ao redor do mundo, passaram a ter suas potências geradoras de prazer quase ilimitadas. Dessa forma, os usuários eram facilmente "capturados" e se tornavam compulsivos e descontrolados, limitando sua vida à decadência e transformando-se em robôs programados para obter um prazer intenso, efêmero e suicida. Vi pacientes e amigos escorrendo por entre meus dedos, como água que tentamos pegar no desespero de apagar incêndios instalados. Porém a vida sempre nos surpreende ao criar novos caminhos para enfrentarmos os desafios aos quais estamos destinados.

Quando resolvi estudar e tratar os compradores compulsivos travestidos de angústia e depressão que a mim chegavam, surpreendi-me com a dinâmica psíquica desses indivíduos. Os que sofrem de compulsão por compras, cientificamente denominados oniomaníacos, apresentavam características extremamente semelhantes às dos dependentes de substâncias químicas. E mais: de forma híbrida, também guardavam peculiaridades de vários outros transtornos psíquicos sobre os quais eu já havia me debruçado em estudos que foram temas de livros, como o transtorno do déficit de atenção (TDAH), o transtorno obsessivo- -compulsivo (TOC), a bulimia, a anorexia, o jogo patológico, entre outros.

Novamente, estava eu envolta nos transtornos compulsivos, mas, dessa vez, os motivos desencadeadores da satisfação imediata eram coisas materiais que, na maioria das vezes, nem sequer chegavam a ser usadas. Percebi que o grande prazer desses pacientes estava no "ato de comprar", e não necessariamente na posse dos objetos, que logo após eram esquecidos em um canto qualquer. E todos eles, fossem mulheres ou homens, esconderam por anos suas compras das pessoas mais íntimas, assim como fazem os alcoolistas e os dependentes químicos em geral.

No entanto, os compulsivos por compras, de forma um pouco diversa dos demais transtornos compulsivos, acabam por confundir sua frágil identidade com a logomarca dos produtos que adquirem. Colocam a mente em um jogo manipulador e perverso que torna o *ter* sinônimo do *ser*. Julgam sua identidade e seus afetos pelo que podem adquirir e oferecer aos demais e, assim, vivem numa espiral de angústia e insatisfação, feito pinturas esmaecidas pelo tempo.

Auxiliar essas pessoas é como ensiná-las a se ver no espelho da existência e a enxergar o reflexo do que realmente são e para que se destinam. Existir, pelo menos em nossos parcos conhecimentos, carece de sentido formal, mas talvez esse seja o maior de todos os nossos desafios: fazer a melhor arte vital sem saber no que vai dar. E, nessa arte, precisamos dar o melhor do que habita em nós e esculpir a melhor "mercadoria" que podemos ser: uma mercadoria sem preço. Afinal, felicidade não se compra, mas pode e deve ser vivenciada.

Agradeço de alma e de coração a todas as pessoas que me ajudaram na jornada de transformar essas vivências, algumas tristes e muitas transcendentes, nesta obra *Mentes consumistas*.

Iniciamos aqui um mergulho rumo ao universo do consumo e do consumismo desenfreado, cujo caminho apresenta curvas perigosas e retas ilusórias, e no qual a satisfação imediata do presente costuma eliminar as chances de um futuro tranquilo, no qual seríamos capazes de transformar todas as nossas vivências na tão almejada sabedoria. Somente de posse dela conseguiremos distinguir o que realmente tem valor do que apenas tem preço; e é nesse patrimônio não mensurável que reside a verdadeira felicidade.

Consumir é a forma mais rápida e eficaz de ter, e, numa sociedade com abundância produtiva, esses dois verbos (ser e ter) viram sinônimos absolutos.

1
SER OU TER?
Uma questão que determina a nossa forma de viver

Lembro-me de que, na primeira vez em que ouvi a célebre frase "ser ou não ser, eis a questão", fui tomada por um ímpeto impaciente e irritadiço. Aos sete anos, eu só queria brincar, e qualquer coisa que atrasasse o meu caminho a novas brincadeiras era motivo de frustração. Vou tentar descrever exatamente como Shakespeare entrou na minha vida. Era véspera de Natal, dezembro – meu mês favorito quando criança, pois tudo o que eu queria era fazer a lista dos presentes que ganharia dos meus pais, de seus melhores amigos e dos parentes mais próximos. Nossa casa sempre foi aberta aos amigos de meus pais e aos seus ex-alunos, uma vez que eles eram professores. Em épocas natalinas, era um entra e sai de gente sem fim; todos queriam se confraternizar e comemorar. Eu achava aquilo um pouco engraçado: as pessoas chegavam com bebidas, panetones e presentes para mim, para minha irmã e para meus pais, que eram afetuosamente chamados de mestres. Chegavam como se conhecessem a mim e a minha irmã (de doze anos) de longa data, cumprimentavam os mestres com um longo abraço emocionado e nos entregavam os presentes.

Para mim, aquele momento era mágico: tentar adivinhar o que estava dentro dos embrulhos coloridos com laços exuberantes era uma das etapas mais prazerosas da ocasião. Desfazer tudo aquilo e finalmente ter meu presente em mãos também tinha um quê de prazer que sempre terminava em cenas explícitas de excitação infantil, com pulinhos e gritinhos de "Obaaaaa!", sempre interrompidos pelo espírito educador de minha mãe: "Ana Beatriz, como é que se diz?". E eu imediatamente retornava à realidade, tentava me recompor e respondia: "Muito obrigada!". Educação básica cumprida, corria ao meu quarto para ver em que setor das brincadeiras aquele presente seria usado. Com tanta agitação, eu nem notava o que as pessoas diziam: "Você é a Ana Beatriz, a caçula? Seu pai fala muito de você e de quanto adora brincar. E aquela ali só pode ser a Sônia Cristina, que adora balé".

Hoje percebo que meus pais realmente nos inseriam em seu ambiente de trabalho, pois os amigos e ex-alunos deles sempre nos presenteavam com aquilo de que gostávamos. Para mim, qualquer brinquedo era bem-vindo, e, para minha irmã, as roupas de balé e seus acessórios também despertavam uma alegria que ela, educadamente, continha em um gesto harmonioso de gratidão e um discreto sorriso, como convém a uma verdadeira bailarina.

Em meio a esse cenário festivo, sempre estava presente um casal de amigos muito querido de meus pais: sra. Léa e dr. Renato Lemgruber. Eram muito elegantes e cultos e, quando chegavam, os cuidados com as etiquetas sociais eram redobrados. Naquele ano, a sra. Léa nos disse: "Desta vez, deixei o Renato escolher os presentes das crianças". Eu não sabia bem o que isso significava, mas percebi que algo diferente aconteceria só pelo tom de voz da sra. Léa e pela expressão de "qualquer coisa, não reclamem comigo". Minha irmã recebeu um livro grande repleto de fotografias, cujo título prateado e impresso em caligrafia antiga era *A magia do balé*. Soninha ficou tão entusiasmada que parecia ter chegado à Disney World.

Entre lágrimas, ela agradeceu tal qual uma bailarina agradece os aplausos após uma bela apresentação. Em seguida, foi para o quarto e de lá só saiu muito tempo depois para dizer: "Eu nunca tinha ganhado um presente tão lindo!". Ali nascia uma leitora assídua e apaixonada.

Comigo foi diferente. Recebi uma caixa retangular com bonecos de papel para montar. Diante da minha expressão de espanto, o dr. Renato disse: "Aninha, vou ajudá-la a montar seu presente". Após trinta longos minutos, e eu já bastante impaciente, lá estava um boneco chamado Hamlet, que segurava uma caveira nas mãos. O dr. Renato disse prontamente: "Ser ou não ser, eis a questão". Sem entender nada, indaguei: "Como você sabe que ele fala isso?". "É simples, basta ver as cartas que acompanham o cenário e os personagens", respondeu. Não vi muito sentido e graça naquilo, mas não tive alternativa: o jeito foi brincar com o dr. Renato.

Ele tinha razão: não pensei que vivenciar a peça mais famosa de Shakespeare por meio de simples bonecos de papel pudesse ser tão envolvente. Aprendi que Hamlet era um príncipe dinamarquês que tentou vingar a morte do pai (o rei), envenenado pelo próprio tio, o qual, em seguida, se casou com sua mãe (a rainha) para tomar o reino da Dinamarca. Hamlet conta a sua história com pesar e decepção, e, ao final, todos morrem. Em pouco tempo, eu já estava penalizada com aquela triste história e, naquele dia, entendi o verdadeiro significado da palavra tragédia para jamais esquecer.

Muitos natais se passaram, e o desejo infantil por brinquedos deu lugar ao desejo por livros. A brincadeira passou a ser exercício da imaginação nas histórias ficcionais, e, com o passar dos anos, tentar adivinhar o destino dos personagens literários me conduziu ao encontro da minha real vocação: estudar e trabalhar com o comportamento humano.

A tragédia de Hamlet me fez entender que muitas pessoas são capazes de quase tudo para obter coisas materiais, que as façam se sentir poderosas, únicas e/ou celebradas. Em nossos tempos, existem milhares de pessoas que acreditam, verdadeiramente, que o *ter* vale muito mais que o *ser*, e ouso afirmar que essa talvez seja uma das maiores tragédias da história coletiva da humanidade.

A tragédia do SER frente ao TER

Antes de tudo, é preciso analisar o significado dos dois vocábulos:

SER: possuir identidade, particularidade ou capacidade intrínseca; TER: possuir, ter fortuna, ter méritos. SER e TER são verbos; sendo assim, denotam uma ação, ou seja, um movimento em alguma direção.

O *ser* nos leva à posse não de objetos, pessoas ou coisas, mas de nós mesmos. Reafirma a nossa identidade e molda o caráter com o qual nos relacionamos com o outro no âmbito social e afetivo.

O *ter*, por sua vez, nos conduz à posse material de coisas que acabam por despertar e fomentar o egoísmo e a falta de altruísmo nas relações interpessoais.

Enquanto a sociedade alicerçada no *ser* prioriza as pessoas, a embasada no *ter* tem como prioridade coisas que podem ser compradas por valores determinados pelo mercado. Infelizmente, a sociedade em que vivemos tem como senso comum vigente o modo *ter* de estabelecer suas regras e seus valores. Por essa razão, podemos denominá-la de sociedade consumista ou sociedade de produtos.

Nesse contexto social, é necessário possuir tudo que seja capaz de gerar prazer de forma intensa e imediata. Outra característica que pode tornar um produto bem mais valorizado no mercado é o seu grau de exclusividade. Quanto menos compartilhado for um objeto (e/ou uma experiência), mais valor ele terá e mais status dará a quem o possuir. Um exemplo simples dessa realidade é o valor da primeira luva prateada usada pelo astro do pop Michael Jackson em shows ou mesmo um passeio à Lua em um ônibus espacial.

A cultura consumista e individualista está tão profundamente enraizada em nosso comportamento diário que, na maioria das vezes, não percebemos o quanto vivemos sob a ditadura do *ter*. Em nossa linguagem habitual, encontramos frases que demonstram claramente a "virulência" do consumo: "Qual é o seu preço?", "Dinheiro compra tudo", "O que o dinheiro não compra, ele manda buscar".

Expressões desse tipo criam a ilusão de que, em nossa sociedade, tudo pode ser materializado e transformado em um produto a ser consumido. Felizmente, existem coisas que jamais poderão ser adquiridas, pois dependem da subjetividade e da personalidade de cada um – inteligência, sabedoria, autoestima, talento pessoal, respeito e amor realmente não têm preço.

Sociedade consumista: abundância de produtos e escassez de felicidade

Parafraseando um velho conhecido nosso: "Nunca antes, na história da humanidade, os seres humanos tiveram tanto acesso a bens materiais". Nunca também tivemos tantas pessoas insatisfeitas, ansiosas e compulsivas por comida, drogas, compras, jogos, sexo etc. Onde falhamos? Será que oferecer conforto, farta alimentação e prazer às pessoas é ruim? Sinceramente, não vejo por esse aspecto; acho que todos merecem e necessitam de certa base material para viver com dignidade. No entanto, a partir do século XVIII, estabelecemos um sistema econômico que passou a priorizar a produção e o lucro em detrimento da ética e dos valores humanos. *Ter* passou a ser uma necessidade coletiva, que visava alimentar de forma voluptuosa o crescimento do próprio sistema.

Consumir é a maneira mais rápida e eficaz de *ter*, e, numa sociedade com abundância produtiva, esses dois verbos (*ser* e *ter*) viram sinônimos absolutos. Mas consumir guarda em si um efeito colateral inevitável: se, em um primeiro momento, o ato de consumir gera um estado de alegria ou de euforia momentânea, libertando parte de nossa ansiedade, com o tempo nós nos "viciamos" nessa sensação abstrata de prazer e passamos a comprar mais e mais, na tentativa ilusória de criar um estado permanente de satisfação. E, assim, quanto mais compramos, mais rapidamente perdemos o caráter ansiolítico e prazeroso do ato de consumir. Forma-se, então, o ciclo vicioso que aprisiona milhares de pessoas no mundo inteiro e que, de maneira oposta, faz girar a economia com força e, cada vez mais, gerar bens de consumo e o tão almejado lucro. Nosso sistema econômico prioriza até as últimas consequências a produção excessiva e o consumo irresponsável que transforma cada um de nós em esbanjadores inconsequentes, a ponto de considerarmos o desperdício algo normal.

Nesse cenário de excessos, acabamos confundindo o *ser* com o *ter*: nossa identidade é avaliada dentro do mercado pela quantidade e pelo valor dos produtos que consumimos. E quando isso ocorre, deixamos de ser agentes ativos do consumo para nos transformar em "mercadorias" a serem consumidas por outras pessoas.

Como mercadorias, todos querem ser desejados, e, para isso, concentram-se num esforço sem fim para se manter atraentes e vendáveis. Se você acha que estou exagerando, sugiro que vá a um ambiente escolar e pergunte a uma criança o que ela quer ser quando crescer. Observe que as meninas e os meninos tenderão a responder diversos ofícios, mas todos terão em comum o desejo ardente por fama, status e visibilidade. Todos querem ser celebridades, mesmo que "instantâneas".

Na sociedade consumista, o modo ser de existir é desestimulado de todas as maneiras, pois *ser* não demanda consumo nem a obtenção de lucro. Uma pessoa satisfeita com sua aparência, com seu ofício, com seus afetos e seus valores éticos não necessita consumir (de forma abusiva e/ou compulsiva) cosméticos, cirurgias plásticas, namorados e/ou namoradas "da hora" ou títulos de bons cidadãos em instituições de visibilidade social.

Numa sociedade como a nossa, aprendemos, desde muito cedo, a paixão pelo *ter*; a competitividade que faz do colega um inimigo em potencial; o egoísmo que leva ao querer *ter* de forma exclusivista; a não partilhar; a não se importar... Enfim, a ser quase nada, mas com uma "embalagem" de ser humano amável, equilibrado, sorridente e muito produtivo.

Viver essa dualidade constante entre o *ser* e o *ter*, mesmo que de forma inconsciente, contraria o próprio código genético da espécie humana, pois, como seres sociais, somos totalmente dependentes das nossas relações interpessoais para nos desenvolvermos como indivíduos e como espécie. Atingimos a supremacia biológica entre milhares de outras espécies animais justamente por nossas habilidades sociais, alicerçadas no senso ético/moral e na prática da solidariedade. Nenhum ser humano é capaz de concretizar uma "obra" (seja ela da natureza que for) de forma isolada ou solitária. O melhor de todos os engenheiros do mundo jamais conseguirá erguer um edifício sem contar com o esforço e a dedicação de muitos trabalhadores. É a nossa capacidade de organização e cooperação coletiva que nos faz realizar coisas que nenhuma outra espécie animal pode executar.

Nosso senso inato de solidariedade fica explícito quando nos deparamos com tragédias naturais de grande porte, como tsunamis, enchentes, ciclones, terremotos etc. Em poucas horas, um exército de voluntários se organiza para socorrer nossos semelhantes vitimados, e tudo ocorre sem nenhuma "ordem" oficial de governo ou entidade filantrópica; estes, em geral, aparecem depois, para organizar e/ou tornar a ajuda mais eficiente. Outras situações que evidenciam o nosso senso de coletividade são os eventos históricos que demonstram a força positiva de nossa espécie, tais como a chegada do homem à Lua ou descobertas científicas que resultem na erradicação de doenças como a cólera e a paralisia infantil, por exemplo. É por isso que nos entristecemos com as tragédias e nos alegramos com as conquistas da espécie humana. De alguma forma, temos em nossa essência o poder da interconectividade social, que faz o velho ditado "a união faz a força" ser uma verdade incontestável.

Você agora deve estar se perguntando: se somos solidários por natureza, por que a humanidade vive tão infeliz? Por que uma parcela imensa dos seres humanos vive tão ansiosa, deprimida, dependente de substâncias tóxicas ou com comportamentos autodestrutivos? Porque, além de possuirmos um senso biológico de solidariedade e compaixão, somos dotados de inteligência estratégica, que pode ser manipulada pela cultura à qual somos expostos em determinada sociedade. Dessa forma, a cultura do *ter*, dominante em nossa sociedade consumista, influencia de maneira intensa e persuasiva nossa inteligência para que sejamos capazes de "tapear" a nossa natureza solidária, a fim de nos tornarmos peças eficientes em manter o sistema econômico vigente em pleno funcionamento. Com nossa inteligência "entorpecida", vamos quase que roboticamente nos tornando consumidores contumazes, insaciáveis e com sentimento constante de ansiedade e insatisfação. Quando deixamos de nos satisfazer com os produtos criados pelo mercado, começamos a triste derrocada de consumir a nós mesmos: nosso tempo, nossos amores, nosso corpo, nossos sonhos, nossas esperanças e, por fim, nossa frágil e debilitada identidade. Nesse ponto da existência, deixamos de viver como seres humanos de fato e nos transformamos em zumbis, soldados passivos programados para alimentar com a própria alma o apetite voraz e insaciável do DEUS-LUCRO.

Na sociedade consumista, somos todos livres para consumir tudo, a todos e a nós mesmos.

Para a maioria absoluta das pessoas, ser uma celebridade não significa ser reconhecida ou admirada por suas ações ou talentos, e sim ser vista, cobiçada ou invejada.

2
SINAIS DOS TEMPOS
Grifes, redes sociais e descompromisso com o planeta

A sociedade em que vivemos costuma receber uma série de designações, como sociedade capitalista, moderna, de mercado, de consumo, consumista, das celebridades, da informação ou, ainda, da era tecnológica. Todas são adjetivações que se somam para nos mostrar os aspectos mais importantes da cultura que rege e influencia todos os que estão sob a ditadura de uma economia voltada para a produção de bens materiais, e não de bem-estar e harmonia social. Viver nesses tempos requer humildade, conhecimento e coragem para que não sejamos transformados em "soldadinhos" do consumo e para que não sejamos manipulados em massa, como animais de manada, subjugados por nossa própria espécie para nos converter em diversas mercadorias de consumo; e isso inclui desde comida industrializada até acessórios de moda e de decoração.

No entanto, existe um aspecto, talvez o mais recente de todos, que me chama mais a atenção dentro de todo esse cenário: a necessidade que as pessoas têm de ser ou, pelo menos, de se sentir "celebridades". Para a maioria absoluta das pessoas, ser uma celebridade não significa ser reconhecida ou admirada por suas ações ou talentos, e sim ser vista, cobiçada ou invejada. Parece incrível, pelo menos para mim, que pessoas queiram ser "mercadorias" expostas para despertar a cobiça de outras. A explosão das redes sociais ilustra muito bem esse processo de "Veja o que estou fazendo/comendo/comprando/vestindo/curtindo".

Nesse contexto, todos estão sendo "celebridades" em uma sociedade de espetáculo coletivo e/ou individual.

Dentro desse universo, destacarei três aspectos que ilustram esse show de câmeras, luzes e poucas, muito poucas ações coletivas ou altruístas.

As grifes e suas "identidades"

Antes de tudo, temos que entender que marca (ou grife) não é a mesma coisa que publicidade. O conceito de grife faz parte do projeto de publicidade de um produto, e a marca tem a missão de ser a alma ou o sentido essencial de uma corporação comercial. Já a publicidade e o marketing têm a tarefa de propagar esse sentido mundo afora.

A explosão do marketing, ocorrida na segunda metade do século XX, tinha por objetivo básico promover a publicidade dos avanços tecnológicos da época. Dessa forma, ela se limitava a "tornar conhecidos ou trazer a público" produtos recém-inventados, tais como lâmpadas elétricas, rádio, câmeras fotográficas, telefone, carros, motocicletas etc. Por serem de fato novidades, a simples divulgação desses produtos bastava para promover o uso e o desejo de comprá-los. Na ocasião, a marca do produto criado era quase um sinônimo dele próprio, ou seja, Ford representava carros; Kodak, fotos e câmeras fotográficas; Xerox, máquinas copiadoras; General Eletric, lâmpadas e eletrodomésticos; e assim por diante.

Com o incremento da industrialização, o mercado se intensificou e passou a ser inundado por produtos muito semelhantes e fabricados em massa. Por essa razão, a marca se tornou algo extremamente importante, pois passou a ser um diferencial baseado na imagem e no conceito que os fabricantes queriam transmitir ao grande público consumidor. As marcas, então, acabaram conferindo personalidade aos produtos e também às corporações que as produziam. A partir desse momento, as agências de publicidade deixaram de ser apenas facilitadoras de vendas de determinado produto e se tornaram especialistas nos aspectos mais profundos das grifes; algo semelhante a "terapeutas cuidadores da personalidade vital dos produtos". Dentro desse contexto, as indústrias ou as corporações fabricariam os produtos, enquanto os publicitários seriam responsáveis por criar a identidade de cada um, promovendo assim uma espécie de humanização das mercadorias. O papel da publicidade tornou-se muito mais importante, já que os consumidores dos novos tempos compram marcas ou grifes, e não simples produtos.

Não tenho dúvida de que os publicitários talentosos são profundos conhecedores do comportamento humano, a ponto de criarem uma personalidade para os objetos, fazendo-nos acreditar que eles podem fornecer não só qualidade, como também status e identidades sociais. Sou profunda admiradora da criatividade e da beleza que certas propagandas apresentam; muitas delas não se limitam a induzir a compra por meio de meros apelos, mas podem promover reflexões que estimulam um consumo adequado. Acredito, firmemente, que existe um tipo de publicidade feito com consciência e competência que pode, sim, promover a venda de determinados produtos sem mentiras apelativas, valores distorcidos ou enaltecimento de futilidades irresponsáveis. Torço para que a publicidade saiba atentar para os erros do passado e consiga construir uma nova era: a da publicidade ética voltada para o consumo sustentável. Aí, sim, poderemos chamar a publicidade de arte – afinal, a arte tem a função social de promover a transcendência do ser humano para novas e melhores esferas.

Essa dicotomia surgida entre a produção – restrita a um território distante chamado fábrica – e a marca – no universo do conceito do estilo de vida e da identidade do consumidor – criou um dos maiores retrocessos em questão de direitos trabalhistas dos nossos tempos. E isso é fácil de entender: as grandes corporações passaram a delegar a tarefa "menos nobre" de produzir simples mercadorias em países de Terceiro Mundo, onde a mão de obra é muito barata, as leis trabalhistas são débeis e as isenções fiscais, concedidas por anos ou até décadas. Tudo o que essas "fábricas" terceirizadas precisam fazer é dar conta das encomendas a tempo e no valor acordado, que, pelo exposto, costuma ser o mínimo possível.

Enquanto os trabalhadores distantes, desconhecidos e miseráveis fabricam os produtos, as matrizes poderosas e libertas dos embargos produtivos estão prontas para investir bilhões de dólares no que realmente importa: dar alma e significado extraordinários aos objetos produzidos em um "inferno trabalhista qualquer". Para isso, elas só precisam "batizá-los" com suas marcas poderosas e desejadas.

Com esse conceito de vender estilo de vida, e não exatamente produtos, as corporações passaram a comercializar qualquer coisa, e não mais um tipo de mercadoria. Uma grife pode vender óculos, perfumes, canetas, blusas, jeans, carros, relógios, *scooters*, casacos, tênis, entre tantos outros produtos. Afinal, as marcas devem dar reputação e nobreza a qualquer produto, e não o produto dar identidade à marca, como no passado.

Só para ilustrar esse fato, cito os exemplos de duas grifes bastante conhecidas: a Tommy Hilfiger e a Nike não fabricam absolutamente mais nada hoje em dia. Elas terceirizam toda a produção, e, com lucros bilionários, investem alto na publicidade conceitual e nas celebridades para vender muito mais que tênis ou materiais de esporte. Elas vendem performance, status, personalidade, desempenho e glamour.

Enquanto isso, as fábricas localizadas na Indonésia, na China, no México, no Vietnã, nas Filipinas e em outras zonas francas (de comércio de exportação) produzem, em condições sub-humanas, os objetos de desejo de grande parte das pessoas que compram diariamente produtos de marca/grife para se sentir pertencentes à fração privilegiada e invejada do planeta.

Portanto, da próxima vez que você for comprar algo de grife, pense um pouco nos fatos aqui discutidos. Se acha que, mesmo assim, vale a pena adquiri-lo, faça isso não para tentar ser "outro alguém" ou ser aceito pela sua identidade adquirida, mas porque você o compraria mesmo que ele não tivesse o "selo da humanização" denominado grife, que a economia de mercado criou e é alimentada com o gosto amargo do trabalho quase escravo de pessoas que vivem sem nome e são descartáveis nessa engrenagem de fantasia conceitual. Se comprar, não o faça de forma alienada, pois fechar os olhos para a situação como um todo é, no mínimo, mostrar-se indiferente a tantos outros semelhantes que trabalham para que você tenha objetos que lhe dão conforto, e não identidade.

A explosão das celebridades nas redes sociais

Há muito que as redes sociais deixaram de ser uma opção de comunicação ou entretenimento para se tornar endereços obrigatórios para jovens, adultos e até crianças se sentirem satisfeitos e compelidos a revelar momentos e informações íntimas de sua vida. De forma quase eufórica e inocente, essas pessoas expõem o rosto e o corpo em fotografias e fornecem dados pessoais preciosos que revelam, na maioria das vezes, a sua localização geográfica. Essa situação nos faz pensar se George Orwell, em 1949, teria profetizado a nossa atual sociedade ao escrever o seu último romance, intitulado *1984*, no qual ele destaca o poder ilimitado dos dirigentes de uma sociedade vigiada 24 horas por dia que está sob o domínio implacável do Grande Irmão. Sem perceber, o uso impensado das redes sociais muito pouco aproxima as pessoas; raras são as que de fato utilizam a ferramenta para esse nobre e legítimo fim. A grande maioria posta tudo sem nenhuma reflexão e acaba por fornecer informações valiosas às grandes corporações sobre o seu perfil. As redes sociais não são utilizadas, na maioria das vezes, por pessoas dispostas a trocas sinceras e reconfortantes como nossas relações sociais deveriam ser, mas como perfil de consumo, e, por essa razão, esses sites sociais são criados e vendidos por bilhões de dólares com uma velocidade absurda. O que está sendo vendido e transferido de mãos são as informações que os usuários fornecem gratuitamente na ilusão de serem "amados" e "admirados" por milhares de "amigos" com os quais provavelmente não existe afeto verdadeiro, nem mesmo virtual.

Tudo é uma questão monetária. Para que o mercado saiba do que você gosta, o que come, usa, compra, valoriza, a que assiste, onde reside, para onde viaja, seus desejos, sonhos e fraquezas, ele utiliza informações do seu perfil, que passa a valer uma classificação vendável de "bom consumidor", "ótimo consumidor" ou "consumidor desprezível".

Se você me perguntar o que eu acho das redes sociais, respondo com toda a sinceridade: um ótimo veículo de comunicação. Trocas de informações e conhecimento são excelentes maneiras de exercer a nossa cidadania. Mas, para que isso ocorra, devemos utilizá-las com parcimônia e cuidado, priorizando a divulgação dos nossos pensamentos, crenças, ideias e valores.

Dessa forma, usaremos as redes para estabelecer um debate produtivo e democrático entre pessoas das mais diversas etnias, classes sociais, ideologias e crenças. No entanto, isso só será possível se as relações nas redes forem pautadas na verdade e no respeito às diferenças. Infelizmente, tenho observado que uma grande parcela se utiliza das redes sociais para simplesmente exacerbar sua vaidade e seu individualismo ou agredir sem nenhuma educação pessoas que possuem opiniões divergentes. Discordar é um direito de todos, mas a discordância não implica agressões gratuitas direcionadas a denegrir ou desestabilizar o outro. O nome disso é covardia, com toque de perversidade.

Todo esse fenômeno de socialização via redes sociais é algo muito recente em nosso cotidiano. Somente o tempo nos dirá se conseguirmos criar regras mínimas de convivência e cidadania virtuais. Torço e tento fazer a minha parte para que as redes possam de fato contribuir para melhorar nossos debates sobre um mundo mais justo, com melhor representação de cidadania e reflexos benéficos na vida real.

As manifestações originadas nas redes sociais em junho de 2013 serviram para mostrar a todos a força positiva e efetiva que o bom uso delas pode apresentar na construção de uma sociedade melhor. Estudantes, famílias, crianças e idosos ganharam as ruas em um movimento pacífico, pedindo mais ética no trato com o dinheiro público e mais rigor com os corruptos. Contudo, forças contrárias a essa cidadania forte e consciente logo surgiram com os *black blocs*, carregados de violência, desrespeito e vandalismo, numa tentativa explícita de silenciar a força e o poder do movimento "o gigante despertou". Se os *black blocs* ocuparam à força as ruas, os cidadãos do gigante desperto podem e devem ocupar com ética e democracia as redes sociais para pressionar órgãos públicos e seus representantes legítimos por meio das instituições que representam ou pelos cargos que ocupam. Acredito nessa possibilidade. Gandhi, sem internet, foi capaz de promover mudanças fundamentais para a cidadania indiana. Por que não podemos tentar?

Antes de postar, compartilhar, curtir ou comentar qualquer coisa nas redes sociais, reflita: você quer apenas ser mais um, cujos dados o mercado vai utilizar para manipulá-lo quanto ao que deseja e consome, ou quer ter a liberdade de expressar suas ideias e, democraticamente, participar da construção de uma sociedade mais plural, generosa, menos corrupta e mais respeitosa com as pessoas? Lembre-se de que nossos maiores bens são justamente aqueles que não podemos comprar e que não venderíamos por dinheiro algum. É sobre isso que devemos postar em nossos perfis virtuais. Afinal, esse conteúdo revela o que temos de melhor como seres realmente sociais.

Os recursos naturais são finitos

Somos todos contemporâneos de um impasse civilizatório, cultivado nas entranhas de um modelo de desenvolvimento que vem exaurindo, em velocidade assustadora e numa escala sem precedentes, os recursos naturais não renováveis do planeta, com impactos negativos sobre a qualidade de vida da população.
André Trigueiro, em *Mundo sustentável*

As palavras do jornalista André Trigueiro resumem de maneira precisa a irresponsabilidade com que nossa sociedade e, de certa forma, cada um de nós, têm tratado as reservas naturais de nosso planeta.

De modo alienante, consumimos impulsivamente, sem nenhuma reflexão prévia, e compramos aquilo de que não necessitamos, que usaremos poucas vezes ou por muito pouco tempo, a fim de nos exibir para quem não conhecemos. A sociedade consumista implica sempre uma produção excessiva, de desperdício, de irracionalidade e de manipulação dos nossos desejos. Somente através dessas características, absolutamente nocivas e irresponsáveis com a natureza, é que o sistema econômico, baseado no lucro sem limites, pode manter seus motores sempre aquecidos e autossustentáveis. Todavia, o que alimenta e sustenta o consumismo é exatamente o que destrói as fontes naturais de matérias-primas.

Também não podemos ser hipócritas ou radicais a ponto de achar que a solução para preservar ou melhorar o planeta é o não consumo; isso seria impossível de ser praticado, pois todos nós precisamos consumir para viver. Contudo, a sua variante quantitativa (o consumismo, esse, sim!) é uma versão perversa, em que o *ter* ameaça a natureza como um todo, a própria sobrevivência da humanidade, e transforma a vida dos consumidores compulsivos (os oniomaníacos) em um verdadeiro tormento de dívidas, conflitos familiares, culpas e angústias constantes.

No Brasil, o percentual de compradores compulsivos é estimado pelo Instituto de Psiquiatria do Hospital das Clínicas de São Paulo em 3% da população – a maioria, do sexo feminino. Muitas dessas pessoas estão totalmente endividadas, implicadas com o Serviço de Proteção ao Crédito (SPC), sem perspectivas de quitar seus empréstimos em bancos, em instituições de créditos ou com agiotas.

É importante destacar que os homens que sofrem de compulsão por compras tendem a esconder o problema bem mais que as mulheres. Sendo eles, em geral, os provedores familiares, a descoberta da situação normalmente ocorre quando as consequências já estão em estado crítico. E, mesmo assim, recusam-se a pedir ajuda médica e/ou psicológica para enfrentar o problema; por essa razão, o predomínio de mulheres nessas estatísticas pode estar "maquiado" pela característica comportamental do comprador compulsivo do sexo masculino.

A melhor saída a todos os consumistas contumazes é transformar-se em consumidores conscientes. Muitos poderão dizer: "Mas não tenho dívidas", ou: "Ganho o suficiente para bancar meus luxos e extravagâncias"; porém, a questão não é simplesmente poder gastar, e sim consumir exercendo a responsabilidade de viver em sociedade e pensar no mundo que deixaremos para as próximas gerações. Tendo ou não filhos e netos, todos somos animais de uma mesma espécie e, como seres sociais e racionais, temos o dever de pensar na continuidade da vida humana, seja ela portadora ou não de nossa genética direta. Não podemos esquecer que a história da humanidade também é a história de cada ser humano.

Ser um consumidor consciente é o mesmo que ser um cidadão melhor, que começa a mudar sua maneira de encarar os desafios atuais relacionados às nossas fontes de água potável e de energia, ao lixo produzido em proporções incalculáveis, às embalagens plásticas, à reciclagem, à redução dos níveis de gás carbônico na atmosfera etc. E tudo isso diz respeito à visão que temos não só do necessário como também do desejável. Nesse sentido, a publicidade é bem democrática, pois ela pode ser vista e acessada pela maioria absoluta da população mundial, independentemente de seus recursos financeiros. Para os ricos, significa a possibilidade de adquirirem mais "felicidade"; para a classe média, desperta desejos e frustrações; para os menos favorecidos financeiramente, causa muita frustração e resignação, e, para uma parcela predisposta e mais influenciável, culmina em compulsão e depressão. Também não podemos nos esquecer daqueles que utilizam a violência para satisfazer seus desejos ilusórios de status, poder e felicidade.

No Brasil, existem duas entidades que desenvolvem um belo trabalho de conscientização do consumidor: o Instituto Akatu (www.akatu.org.br) e o Instituto Brasileiro de Defesa do Consumidor (www.idec.org.br). Ambos promovem pesquisas e campanhas que alertam e orientam os consumidores.

Não adianta sentar a uma mesa de bar e reclamar da vida; o que resolve problemas são ações, e não discursos. Você nem precisa ir para as ruas fazer passeatas se não quiser, mas, em tempos de globalização e de redes sociais, exercer sua cidadania está ao alcance do seu dedo. Não espere que os governos ajam por você; aja para que eles tenham de agir também: acesse os sites citados, compartilhe as informações com seus amigos reais e virtuais, tente seguir as dicas propostas por eles e, em pouco tempo, você perceberá que fez parte de uma grande revolução que poderá mudar a sua vida e, quem sabe, promover mudanças em outras tantas vidas – as quais, somadas, farão uma diferença significativa.

Pare e reflita; não fazer nada é o mesmo que cometer um grave crime: o da omissão da cidadania. Por mais que ninguém venha a saber do seu crime, no tribunal da sua consciência você jamais será absolvido.

Consumir é preciso e deve ser uma atividade salutar como tantas outras que fazem parte do cotidiano humano. A questão é se estamos preparados para ser bons consumidores.

3
DO CONSUMO NECESSÁRIO AO CONSUMISMO DESCONTROLADO
Quando o comprar vira vício

Consumir é preciso para viver, mas viver para consumir pode ser uma das maneiras mais eficazes de transformar a vida em uma morte existencial. E quando isso acontece, deixamos de viver em um porto seguro de paz e necessidades satisfeitas para nos lançarmos em um mar revolto, em que ondas de dívidas, remorsos e desesperos passam a tomar de assalto nossas vivências mais básicas. Sem o conhecimento sobre as diversas facetas do comprar e do nosso comportamento mental frente a todos esses fatores, somos presas muito frágeis de um sistema econômico que se alimenta vorazmente do consumismo.

Este capítulo visa oferecer as ferramentas essenciais para que possamos distinguir o consumo necessário do consumismo típico de uma sociedade de mercado como a nossa e as consequências adoecedoras que tais comportamentos podem provocar em nossos tempos.

Viver é preciso e para experimentar uma vida que valha a pena, navegar com sabedoria pelos mares do consumo é condição *sine qua non* para exercermos nosso papel de realizar a melhor obra de arte com a energia vital que recebemos.

Compramos, sim, por isso vivemos

Existem dois tipos básicos de consumo: o consumo necessário à satisfação de nossas necessidades essenciais e o consumo ligado ao nosso imaginário. Chamarei o primeiro de consumo primário e o segundo de consumo secundário.

O consumo primário está intimamente relacionado à nossa subsistência; ele seria responsável, primordialmente, pela obtenção de comida, abrigo físico e proteção contra outros predadores e intempéries da natureza. Os homens primitivos são o melhor exemplo desse consumo primário. É claro que os povos primitivos não utilizavam dinheiro para satisfazer suas necessidades essenciais, mas eles tinham a noção exata de que, para obter sua sobrevivência, precisavam plantar, colher e caçar. Mais tarde veio o escambo, ou seja, trocas de mercadorias e de serviços sem a utilização do dinheiro – e, sem a monetização, tudo era na base da permuta. A palavra consumo só pôde ser utilizada com a presença do dinheiro, isto é, após a criação de uma moeda universal na forma de papel que passou a comprar os bens necessários à subsistência, sem mais ser necessário um esforço físico e mental para sua obtenção.

Hoje, o consumo primário é facilmente exercido quando vamos ao supermercado e colocamos no carrinho de compras os alimentos necessários à nossa alimentação, bem como os objetos destinados à nossa higiene pessoal e à manutenção da nossa casa. Você não vê ninguém com flechas, facas ou espingardas caçando frangos, bois, porcos ou outros animais nos frigoríficos desses estabelecimentos. Tampouco nos deparamos com pessoas colhendo a céu aberto as verduras e os legumes que levarão para casa para o preparo de suas refeições. A grande energia despendida por nossos ancestrais primitivos chega a ser algo inimaginável em nossos dias. Talvez, se eles pudessem, por alguns segundos, ver nossas "caças" atuais, pensariam que nada disso é possível e que nossos supermercados, automóveis, aviões, elevadores, micro-ondas etc. não passam de delírios de "caçadores preguiçosos".

Fica claro que vivemos em um mundo que gira em função do consumo secundário, e é essa forma de consumir que abre as portas do consumismo e da sua vertente patológica: o *transtorno do comprar compulsivo*.

Colocando os pingos nos is

Consumir é preciso e deve ser uma atividade salutar como tantas outras que fazem parte do cotidiano humano. A questão é se estamos preparados para ser bons consumidores. O bom consumidor satisfaz suas necessidades essenciais, permite-se a prazeres eventuais e, com um mínimo de planejamento, ainda consegue, dentro de suas possibilidades, fazer algum nível de poupança para os tempos mais difíceis. Estes sempre virão: todos estamos sujeitos às marés da vida; não existe ser humano que só tenha dias bons e vitórias intermináveis. Por isso, preparar-se para os dias em que o mar não está para peixe faz parte da sabedoria do bem viver.

Muitos de nós já passamos por situações semelhantes a esta: você vai a um shopping assistir a um filme, compra o ingresso e descobre que a sessão seguinte só começa dentro de uma hora. Decide então dar uma voltinha para passar o tempo. E, entre uma vitrine e outra, depara-se com uma roupa incrível que, de alguma forma, parece ter sido colocada ali especialmente para você. Entra na loja com a convicção de que só vai olhar e, em poucos segundos, a vendedora, com uma voz supergentil, dispara: "Vi a senhora olhando a vitrine; posso ajudá-la?", "Se quiser experimentar algo, fique à vontade: estas roupas chegaram ontem e só restam poucas peças... a procura está enorme". Diante da possibilidade de aquela roupa tão a sua cara acabar, você não

De forma física e mental, despendíamos grande energia para nos mantermos alimentados e protegidos. Hoje, as tarefas para esses fins são cumpridas com cerca de 10% do tempo e da energia que gastávamos para sobreviver. E a pergunta que não quer calar é: para onde foi toda aquela energia? Afinal, energia não se dissipa; ela se transforma ou, no máximo, se desloca. No meu entender, essa energia tão poderosa ligada à sobrevivência se realocou e alimentou com robustez o que denomino consumo secundário.

O consumo secundário, de maneira diversa do primário, não tem por objetivo suprir necessidades essenciais ou reais, mas, sim, e principalmente, aquelas que são criadas e imaginadas por nós. Enquanto as necessidades reais nos garantem a sobrevivência e o conforto vital, as imagináveis costumam nos levar por caminhos tortuosos de sedução, manipulação e desejos insaciáveis. Nesse contexto de sobrevivência satisfeita, a busca cerebral se volta para a satisfação de desejos socialmente valorizados dentro de um sistema econômico que visa o *ter* individual, e não o *ser* humano como um ser coletivo e comprometido com a espécie como um todo. Nesse contexto, somos impelidos a comprar; caso contrário, nos sentimos como se estivéssemos fora do contexto de beleza, poder e prazer.

Somos tomados por uma sensação desagradável de exclusão, de não pertencimento. Ironicamente, quando não compramos coisas que são validadas pelo marketing como necessárias à felicidade, nos sentimos excluídos e até mesmo fracassados e deprimidos. Em casos extremos, o que um indivíduo consome passa a ser sentido como uma demonstração da sua identidade e da sua capacidade frente a seu grupo social. Algo ao estilo: "Sou o que consumo, e o que consumo estampa aos outros o que sou".

pensa duas vezes: "O.k., vou experimentar aquele vestido estampado em tons de azul". Você vai para o provador e, em poucos minutos, a vendedora lhe traz o vestido solicitado e mais cinco peças igualmente lindas e perfumadas. Das cinco, três lhe caem muito bem, apesar de a vendedora dizer que todas foram feitas sob medida para o seu corpo!

A tentação é grande, e, quando você diz: "Não, vou levar somente o vestido", a vendedora pondera: "Mas se você levar as três peças, podemos parcelar em seis vezes no cartão".

Você olha o relógio e faltam cinco minutos para o filme começar. Num impulso, aceita a proposta irrecusável e compra as três peças incríveis, sai correndo e entra no cinema com a sacola repleta de coisas que nem sequer havia pensado em comprar naquele dia. Tudo o que você queria era ver um bom filme no escurinho do cinema – isso, sim, era felicidade para você naquela tarde tranquila de uma terça-feira qualquer. Tudo não passou de um ato de total impulsividade, e, por isso mesmo, denominamos esse tipo de consumo de compra impulsiva.

A compra impulsiva é feita sem nenhum planejamento prévio, de maneira totalmente irracional, e tem como único objetivo a satisfação imediata de uma vontade momentânea e, com certeza, passageira. Como diz o ditado popular, "vontade dá e passa!".

Podemos afirmar que o grande comércio vive das compras impulsivas, e, para que isso ocorra, investe pesadamente em estratégias de publicidade e marketing, que incluem belas vitrines, aromas personalizados nas lojas, vendedores educados e treinados para despertar seus desejos, malas-diretas, telefonemas, anúncios de revistas e de TV etc.

Tudo é feito para você se encantar, não pensar por alguns segundos e se permitir àquele prazer. As compras impulsivas podem não gerar grandes transtornos às pessoas quando são eventuais e não chegam a comprometer o orçamento. Mas sempre representam gastos desnecessários, que poderiam ter seu valor mais bem empregado em coisas de fato necessárias ou mesmo mais úteis, ou, ainda, poupado para melhor uso futuro.

Quando uma pessoa apresenta um padrão frequente e repetitivo de compras impulsivas, podemos denominá-la de comprador abusivo ou excessivo. A compra abusiva gera bem-estar e sentimento de conquista imediata aos consumidores; no entanto, o consumismo exacerbado praticado por esses indivíduos, na maioria das vezes, coloca-os em situações de endividamento e de sérias dificuldades em seus relacionamentos familiares e/ou profissionais.

Os compradores abusivos sofrem as consequências de sua forma de consumo, mas não vivem em função disso. Eles conseguem manter um grau de funcionalidade em todas as esferas de sua vida pessoal, social, familiar e profissional.

Por fim, nós nos deparamos com a maneira mais nociva com que o consumismo pode atingir a vida de uma pessoa: a *compulsão por compras*.

Compulsão por compras

A *compulsão por compras* tem sempre uma conotação patológica e pode receber outras designações, como oniomania, transtorno do comprar compulsivo ou *compulsive buying* (em inglês). Caracteriza-se por um estado constante no qual o indivíduo tem a mente dominada por pensamentos intrusivos (que entram e tomam conta de sua cabeça) e repetitivos relacionados à necessidade de adquirir diversos tipos de produtos ou mercadorias. Esses pensamentos se tornam obsessivos, e o ato de comprar adquire um caráter de urgência que tem o intuito de aliviar o terrível mal-estar interno gerado por tais pensamentos. Esse estado interno de desespero é vivenciado com níveis imensuráveis de ansiedade e de angústia e recebe o nome de fissura. E a presença dela é a condição essencial para que o diagnóstico de compulsão por compras seja realizado. O estado de fissura, sem tratamento adequado, só encontra alívio no ato de comprar. A questão é que, com o passar do tempo, a sensação de alívio tensional obtido com as compras vai diminuindo a sua duração, e o comprar acaba tomando todo o tempo do indivíduo. Isso promove uma verdadeira destruição em sua vida e na dos familiares.

No meu entender, a compulsão por compras deve ser reconhecida como uma doença crônica que, sem tratamento, tende a evoluir de maneira crescente e devastadora. Ela funciona como qualquer outro tipo de dependência (ou vício), seja provocada por substâncias químicas, como maconha, cocaína, álcool, tabaco etc., seja por determinadas situações que também provocam fissura e comportamentos repetitivos de busca de alívio tensional, como jogo patológico, sexo, material pornográfico, comida, entre outros.

Histórico epidemiológico

A oniomania (ou compulsão por compras) foi descrita pela primeira vez em 1915 por Emil Kraepelin, um psiquiatra alemão bastante influente na época, e, posteriormente, pelo psiquiatra suíço Eugen Bleuler, em 1924. Porém, o real interesse por essa patologia só ocorreu no início dos anos 1990, quando uma série de casos clínicos surgiu envolvendo três grupos de pesquisas diferentes. Só a partir de então a doença passou a ser conhecida mundialmente, com relatos advindos dos Estados Unidos e de outros países, inclusive do Brasil. Mesmo assim, as investigações científicas sobre o problema e sobre a sua real incidência ainda estão em fase embrionária e requerem estudos bem mais extensos e aprofundados.

No Brasil, as últimas estimativas do Instituto de Psiquiatria do Hospital das Clínicas de São Paulo, no início dos anos 2000, apontavam que 3% da população sofria do problema, o equivalente a cerca de 6 milhões de pessoas – a maioria, composta por mulheres. Já nos Estados Unidos, onde há o maior número de indivíduos *shopaholics*, ou compradores compulsivos, pude constatar por meio de revisão bibliográfica que diversas pesquisas apontam uma taxa de incidência que varia entre 2 e 8% da população. Isso significa dizer que entre 6 e 24 milhões de norte-americanos compram compulsivamente – em sua maioria, mulheres jovens, na faixa entre dezoito e 35 anos[1].

No entanto, é preciso considerar que a compulsão por compras ainda não foi descrita nos manuais de doenças como o DSM[2] e a CID,[3] instituídos pela Associação de Psiquiatria Americana (APA) e pela Organização Mundial de Saúde (OMS), respectivamente. Portanto, não temos um número oficial que ateste a sua incidência, tampouco a proporção que acomete homens e mulheres.

Até pouco tempo atrás, acreditava-se que a maioria esmagadora dos portadores do transtorno (cerca de 90%) era do sexo

---

1. *Compulsive buying: clinical foundations and treatment*, de Astrid Müller et alii (2011).
2. Manual Diagnóstico e Estatístico de Transtornos Mentais. Em inglês: *Diagnostic and Statistical Manual of Mental Disorders*.
3. Classificação Estatística Internacional de Doenças e Problemas Relacionados com a Saúde.

feminino, isto é, numa proporção aproximada de 5:1. Atualmente, mesmo sem dados estatísticos oficiais, estudos vêm sendo realizados com métodos cientificamente validados e bem estruturados para mensurar não somente a extensão e a prevalência do problema, como também para que haja investigações clínicas mais fidedignas, considerando-se o sofrimento acentuado e os dados alarmantes apurados.

Em 2004, o psiquiatra norte-americano Lorrin Koran coordenou uma dessas pesquisas em parceria com o Social and Behavioral Research Institute, da Universidade Estadual da Califórnia, San Marcos, Estados Unidos. Ela foi voltada especificamente para a população adulta norte-americana (homens e mulheres) e feita de forma aleatória. As entrevistas foram realizadas por telefone, o que garantiu o anonimato do entrevistado, e nelas foi aplicada uma ferramenta denominada Escala de Compras Compulsivas.[4] Os resultados foram, no mínimo, preocupantes: 5,8% dos participantes se enquadravam no perfil de compradores compulsivos, e a diferença entre o percentual de homens e mulheres não foi significativa. Guardadas as devidas proporções, hoje cerca de 17 milhões de norte-americanos adultos, independente de sexo, etnia, credo, educação e situação socioeconômica, podem estar sofrendo de compulsão por compras, sendo que mulheres e homens estão em igual proporção. É claro que, como mencionei, necessitamos ainda de pesquisas e validações clínicas que englobem uma amostra bem maior da população para estimar a prevalência. Porém já podemos ter uma noção da dimensão do problema não somente nos Estados Unidos, mas também no Brasil.

---

4. Em inglês: *Compulsive Buying Scale.*

Pela minha experiência clínica, percebo que, entre os *shopaholics*, são as mulheres as que mais frequentam o consultório, numa proporção de 3:1. Isso equivale a dizer que 75% dos que sofrem de compulsão por compras e procuram ajuda especializada são do sexo feminino. Embora tenhamos um número cada vez mais expressivo de *shopaholics* masculinos, eles ainda se sentem constrangidos em admitir um problema que há pouco tempo era considerado essencialmente feminino. Acredito também que, na sociedade como um todo, a proporção entre os gêneros ainda não esteja totalmente equiparada, havendo um predomínio de mulheres em torno de 2:1.

Produtos como maquiagem, roupas, joias, bolsas, sapatos, cosméticos e perfumes ainda são os preferidos pelas mulheres, que, de modo geral, compram diretamente nas lojas. Já os homens têm como foco principal os celulares, eletroeletrônicos em geral, relógios, óculos, motos e carros. Porém, grande parte destas e de outras compras é realizada pela internet, não somente pelas facilidades, mas também porque é uma forma de os *shopaholics* se preservarem.

Podemos ter uma estimativa melhor aqui no Brasil a partir do número de inadimplentes que cresce a cada ano. Em 2012, pesquisas da Serasa indicavam que 7,9% da população estava inadimplente, o que equivale a cerca de 14 milhões de pessoas. Lógico que nem todo inadimplente é compulsivo por compras, porém praticamente todo *shopaholic*, em algum momento, não conseguirá quitar suas dívidas em decorrência da total falta de controle.

O grande divisor de águas nessa história foi a criação do primeiro cartão de crédito nos Estados Unidos. Na década de 1920, houve alguns ensaios de cartões, aceitos por certos estabelecimentos, mas apenas no início dos anos 1950 ele passou a ser fabricado de plástico e com o nome do cliente gravado (semelhante ao que utilizamos hoje). A prática se popularizou rapidamente em diversos países, inclusive no Brasil.

É claro que os gastos excessivos muito provavelmente vêm desde a Grécia Antiga, com o advento da moeda, e, ao longo da história, há relatos de pessoas que já tinham o desejo de comprar de forma desmedida. Porém, com os cartões de crédito, com as facilidades do mercado e com as múltiplas opções de pagamento, houve um *boom* nesse tipo de patologia. O cartão de crédito habilitou um número significativo de pessoas a se tornar potenciais consumidores. Atualmente, o problema atinge cada vez mais jovens, por volta dos dezoito anos – idade em que os pais costumam presentear a maioria de seus filhos com contas bancárias e acesso fácil a talões de cheque e cartões de crédito.

Infelizmente, hoje é muito comum vermos jovens endividados, implicados com o SPC, vítimas das facilidades de crédito e das sedutoras campanhas publicitárias e suas eficientes ações de marketing.

No capítulo seguinte, veremos com detalhes as personalidades mais vulneráveis ao desenvolvimento do transtorno do comprar compulsivo. Mas, antes de seguir, é preciso ter em mente que as atitudes de um *shopaholic* ou oniomaníaco não configuram falta de caráter ou pouca "vergonha na cara", como muitos pensam; por trás desses indivíduos descontrolados existe alguém em sofrimento profundo que, mesmo sem ter consciência, clama por socorro. O socorro dos náufragos, os quais, no desespero, tentam matar a sede bebendo água do mar e acabam por aumentar a desidratação que os fará sucumbir mais rapidamente.

O nosso lado "caçador", que faz parte da nossa biologia evolutiva, não vai à caça, mas às compras!

4
O COMPRADOR COMPULSIVO
Uma visão mais detalhada

Acho que era no terceiro andar do shopping, naquela loja de esquina perto da livraria. A vendedora disse que era a última peça e que só tinha tamanho GG, mas se eu ajustar vai ficar boa. Ai, meu Deus, o shopping vai fechar daqui a pouco, preciso sair correndo pra chegar a tempo. Eu tenho várias blusas, mas essa é especial: peça única feita à mão, tipicamente oriental. Foi feita no Camboja. Será que se eu comprar também vou ajudar o pessoal de lá? Mas hoje eu já fui até lá e comprei três sapatos, não posso mais gastar; estou no cheque especial e ainda preciso pagar a conta do celular. O limite do meu cartão de crédito já estourou; nem sei como vou arranjar dinheiro. Ah, depois eu penso nisso. A loja vai fechar e está o maior trânsito, acho que não vou conseguir. Puxa, a blusa é tão legal e original... vou me arrepender pelo resto da vida se eu não comprar, eu sei. Mas precisava ser azul e lilás, justamente as minhas cores prediletas? E o tecido é perfeito para uma cidade quente como esta! Ai, meu Deus, por favor, me ajuda a chegar a tempo, não posso ficar nesta agonia!

O caso acima ilustra bem a angústia e o desespero de um comprador compulsivo para adquirir um simples produto. Neste capítulo, procurei detalhar de forma clara um problema que traz intenso sofrimento e acaba por interferir drasticamente em diversos setores vitais do indivíduo, bem como de seus familiares e pessoas próximas.

Como vimos, o ato de comprar faz parte da vida de todos nós. Consumimos para suprir nossas necessidades básicas e também para alguns prazeres e caprichos. O nosso lado "caçador", que faz parte da nossa biologia evolutiva, não vai à caça, mas às compras!

Consumir é visto por nosso cérebro como uma recompensa, uma premiação, tal qual sentíamos quando obtínhamos a carne da caçada ou os frutos e as verduras da colheita. Fazer com que nos sentíssemos bem ou alegres com esses atos foi um meio extremamente eficaz de garantir a sobrevivência da nossa espécie.

A necessidade, ou o desejo imaginário, de buscar alguma coisa é interpretada por nosso cérebro como uma missão a ser cumprida, e sempre que obtemos sucesso nessa busca, ele ativa uma região denominada "sistema de recompensa", que libera substâncias (neurotransmissores) que nos dão a sensação de prazer, alívio e satisfação.

Os perfis do comprador compulsivo

Um indivíduo, para se tornar um comprador compulsivo (ou *shopaholic*), necessita apresentar em sua personalidade algumas características fundamentais: um perfil impulsivo e também um perfil obsessivo-compulsivo. Mas o que é isso?

O perfil impulsivo é essencial para que o indivíduo dê a partida (*start*). Sem esse impulso, que "cega" a razão e o faz comprar coisas desnecessárias, não haveria descontrole nas contas bancárias ou nos cartões de crédito da maior parte dos consumidores. Porém o impulso, por si só, não é capaz de deflagrar um quadro de dependência de compras (ou vício). O máximo que pode ocorrer é um quadro de compras abusivas ou excessivas.

Para que o consumidor chegue ao estado de fissura e caracterize o seu descontrole diante do ato de comprar, ele precisa ter sua mente repleta de pensamentos intrusivos e repetitivos sobre o que deseja ou necessita comprar. São esses pensamentos obsessivos que fazem com que ele só pense em comprar o tempo todo. Pensamentos obsessivos têm o poder de elevar de maneira imensurável os níveis de ansiedade e angústia dos indivíduos que os possuem. E, numa tentativa quase desesperada de reduzir esses sintomas da fissura, o cérebro impõe que o indivíduo execute determinadas atitudes para aliviar a tensão gerada pelos pensamentos obsessivos. Essas ações são chamadas de compulsões (ou comportamentos repetitivos). No entanto, as compulsões produzem alívio temporário, e em pouco tempo os pensamentos obsessivos retornam e, com eles, novamente as compulsões. Assim, desenvolve-se um ciclo vicioso, e o vício está estabelecido, tal como um cachorro raivoso correndo atrás do próprio rabo.

Para facilitar o entendimento desses dois perfis comportamentais (impulsivo e obsessivo-compulsivo), elaborei o esquema no qual a compulsão por compras se inicia no perfil impulsivo e, conforme ocorre a evolução do quadro, atinge seus níveis mais graves no perfil obsessivo-compulsivo.

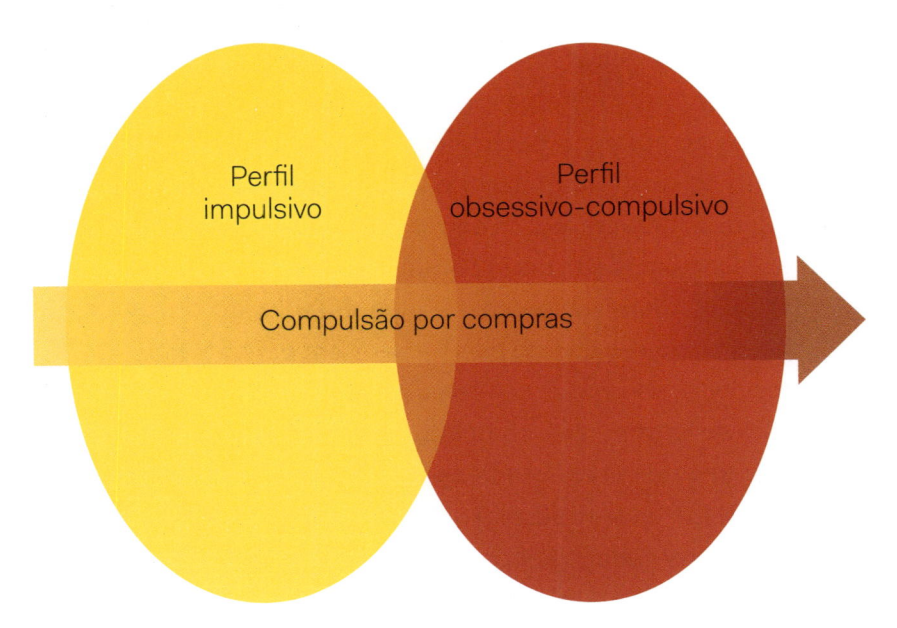

Elaborado por Ana Beatriz Barbosa Silva e Lya Ximenez

Para exemplificar melhor a dinâmica de um indivíduo compulsivo por compras, apresento o relato de Sebastião, 39 anos, morador de Juazeiro do Norte, interior do Ceará:

> Morei em Juazeiro do Norte desde pequeno, onde eu tinha uma fazenda perto da cidade, muitas cabeças de gado e um bom dinheiro guardado. Sempre gostei de colecionar algumas coisas, como bonés, carrinhos e revistas, e meu passatempo preferido era apostar em caça-níqueis: não podia ver uma máquina que eu fazia uma "fezinha"; acho que já era meio viciado nisso. Fui casado por quatro anos com a mulher mais linda de Juazeiro, até ela me trair. Eu jamais poderia imaginar que Neide faria isso comigo... foi o fim! Virei chacota da região, fiquei desmoralizado e traumatizado. Precisava superar isso de qualquer jeito e mostrar pra ela e pra todo mundo que eu não era um brinquedo qualquer. Foi quando bateu uma vontade forte de comprar. Passei a frequentar o shopping, melhorei minha autoestima, conheci outras mulheres e fui comprando cada vez mais. Percebi que comprar era bom, que me acalmava, e que as pessoas gostam de quem tem dinheiro. As mulheres sorriam pra mim, as crianças ficavam loucas com o meu carro, e o pessoal passou a me respeitar. Neide havia perdido um "partidão", e eu me sentia cada vez mais poderoso!
>
> Eu comprava o que via pela frente e, em pouco tempo, já tinha uma coleção enorme de celulares, relógios, tênis, bolas de futebol, estojos de ferramentas, charutos, chapéus... Minha casa era bem grande, mas já estava lotada de coisas, caixas, sacolas pra todos os lados. Era uma insatisfação sem fim. Eu mal acabava de comprar e minha cabeça já pensava na próxima loja em que eu iria entrar. Nem cuidava mais direito da fazenda. Acho que estava meio louco, sei lá... eu não conseguia me controlar.

Depois disso, comecei a comprar carros... já tinha uns seis tipos diferentes. Pronto! Meu dinheiro acabou de vez, as cobranças não paravam de chegar, perdi o crédito nos bancos, meu nome ficou sujo na praça, vendi o que pude e meus bens foram confiscados. Fiquei praticamente sem nada. Em apenas três anos, acabei com toda a herança que meu pai e meu avô me deixaram com tanto sacrifício.

Desesperado, pedi ajuda à minha irmã que mora em São Paulo; pra ser sincero, eu nem sabia que isso era uma doença até ela me alertar. Estou morando na casa dela agora e fazendo tratamento com um psiquiatra, que ela mesma fez questão de bancar. Sei que vou melhorar, é o que mais quero e estou me esforçando para isso. Preciso tocar minha vida de forma bem mais simples.

O relato de Sebastião nos inspira a nos aprofundar um pouco mais em alguns aspectos importantes da compulsão por compras. O trauma gerado pela traição de Neide não foi exatamente o causador da doença. Sebastião já demonstrava predisposição para essa patologia por apresentar uma personalidade com traços impulsivos desde cedo, levando-o a colecionar vários objetos e, posteriormente, aos jogos caça-níqueis. Portanto, o sofrimento causado por sua ex-mulher foi um fator importante, sem dúvida, mas não essencial para o desenvolvimento da doença. Após Sebastião sair de um casamento de forma traumática, ele busca algo para se sentir bem e para melhorar sua autoestima. E, infelizmente, pessoas com traços impulsivos são mais vulneráveis ao aparecimento de qualquer tipo de vício ou dependência. Muito embora ele tivesse uma boa condição financeira, só percebeu que havia ultrapassado todos os limites quando de fato não tinha mais crédito para nada e precisou se desfazer de seus bens para pagar os credores. Seu comportamento era tipicamente adicto, como em qualquer outro vício (nicotina, álcool, jogos, sexo, drogas), e, quando se chega a esse ponto, o tratamento médico e o psicológico, com a participação ativa dos membros da família, são essenciais no processo de melhora.

É bom ter em mente que a compulsão por compras, assim como os demais transtornos psiquiátricos, sempre tem características individuais e pode se apresentar das mais diversas formas, que variam de acordo com a herança biológica (genética) de cada um e com os aspectos socioculturais do meio em que se está inserido. Além disso, indivíduos com vícios ou dependência em geral escondem suas atitudes e dificilmente reconhecem ter um problema ou procuram ajuda de forma espontânea.

Dinâmica do comprador compulsivo

Segundo April Benson[5], psicóloga americana que trabalha há trinta anos com compulsão por compras, a dinâmica do comprador compulsivo é um ciclo vicioso causado por um fator desencadeador, ou estopim, pelo descontrole e pela ressaca (culpa, vergonha, frustração) que pode evoluir para uma fissura ou até mesmo síndrome de abstinência. Sendo assim, o ciclo vicioso pode ser representado por um esquema cujas etapas estão intimamente ligadas, mas, ao mesmo tempo, são distintas entre si:

1. *estopim*: tem início a partir de um fator desencadeador;
2. *descontrole*: é representado por ações;
3. *ressaca*: é representada por atitudes negativas;
4. *fissura*: quando prolongada, pode se transformar em síndrome de abstinência.

---

5. *Who needs help? Three ways to know if you are a overshopper*, de April Benson.

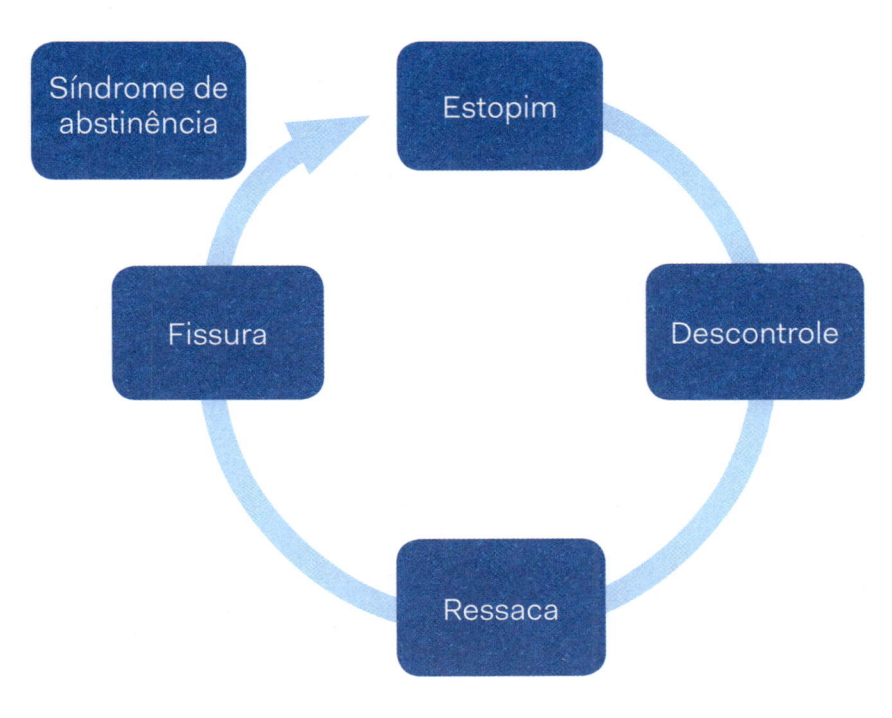

Elaborado por Ana Beatriz Barbosa Silva e Lya Ximenez

Note que, na ilustração, a síndrome de abstinência está fora do círculo, pois nessa fase o comprador compulsivo interrompe o ciclo vicioso, mesmo que ele volte a comprar pouco tempo depois.

Por meio da prática clínica, foi possível observar alguns padrões que configuram cada etapa, os quais estão listados a seguir:

1) A gota d'água: o estopim

Qualquer tipo de estimulação sensitiva ou emocional pode desencadear uma crise ou um descontrole, mas a "gota d'água" é bastante variável de pessoa para pessoa. Algumas são mais sensíveis ou suscetíveis, já que a percepção é tão individual quanto o nosso próprio DNA. A gota final que transborda o copo e deflagra o desejo de comprar pode ser algo que vimos, pensamos, ouvimos, sentimos, lembramos.

Abaixo estão reunidos alguns fatores frequentemente associados ao gatilho do descontrole:

→ Estopins associados a circunstâncias ("do momento"):
    → promoções e ofertas;
    → festas e comemorações;
    → anúncios de vendas e publicidade na TV, em revistas, em catálogos, na internet, em e-mails;
    → períodos de férias;
    → períodos fora do trabalho (tempo livre), como o horário do almoço, por exemplo;
    → tempo fechado ou dias cinzentos;
    → ver alguém ou algo que provoque excitação interna.

→ Estopins associados a pensamentos:
    → recompensa (alívio e prazer) e compensação do tipo: "Eu mereço";
    → vontade ou necessidade de agradar o outro (presentear);
    → sentimento de culpa;
    → medo (de não encontrar mais o produto);
    → insegurança e superficialidade;
    → desorganização ou falta de planejamento sobre o que pode ou não gastar.

→ Estopins associados a estados mentais:
    → melancolia;
    → irritabilidade;

- solidão;
- estresse ou trauma;
- baixa autoestima;
- ansiedade;
- nostalgia;
- euforia.

- Estopins físicos:
    - jejum prolongado (hipoglicemia), que gera ansiedade, irritabilidade, baixa racionalização. Esse mal-estar faz com que a pessoa tente aliviá-lo na forma de compras;
    - desconforto físico causado por estresse;
    - insônia; nesse período a pessoa não se "desliga", os pensamentos obsessivos continuam, o que leva a acessar sites na internet, assistir a canais específicos de compras na TV etc.;
    - uso de entorpecentes ou estimulantes. O primeiro traz baixa racionalização, e o segundo, um estado eufórico.

2) "Metendo o pé na jaca": o descontrole

A partir do momento em que o estopim ocorre, inicia-se uma cascata de eventos e sentimentos que passam a alimentar o ciclo vicioso da compulsão por compras. Passado esse turbilhão, os sentimentos de recompensa e satisfação rapidamente se transformam em um profundo mal-estar e angústia.

3) A ressaca

É o sentimento que decorre logo após o descontrole acoplado às suas consequências. É a sensação desagradável que se dá depois de um momento divertido (culpa, vergonha, frustração etc.) que custa caro e cujo preço é o próprio bem-estar. A ressaca evolui para uma fissura crescente, podendo resultar em um novo descontrole ou para a síndrome de abstinência, caso a necessidade ou o desejo de comprar não seja realizado.

Os sinais e os sintomas da ressaca foram divididos em seis grupos:

→ No bolso:
  → dívidas no cartão de crédito acima do que se pode pagar;
  → pouco dinheiro (ou ausência dele) para a aposentadoria;
  → cartas e/ou telefonemas de credores;
  → falência;
  → falta de credibilidade para pagar um empréstimo;
  → desorganização crônica e negação de finanças;
  → empréstimos frequentes de dinheiro de membros da família ou amigos, sem saber quando será possível pagá-los;
  → falta de dinheiro reserva para emergências.

→ Na mente:
  → irritabilidade, nervosismo, depressão;
  → desvalorização pessoal, vergonha e culpa;
  → "fuga eufórica": autovalorização, vaidade, superficialidade, postura egoísta e gananciosa, raiva das pessoas ao redor; punir ou causar sofrimento aos demais, a fim de transferir ou anular suas responsabilidades;
  → "tomada de consciência": a pessoa procura ajuda, ao se sentir derrotada e desesperançosa.

→ Nas relações interpessoais:
  → mente para si mesmo ou para os outros sobre seu comportamento;

- → mantém o problema como um segredo;
- → afeta negativamente outras pessoas; afasta-se de familiares (brigas com o cônjuge, impaciência com filhos, amigos ou colegas);
- → o parceiro pensa em separação por causa do problema;
- → deixa de cumprir programas sociais previamente agendados;
- → preocupação por parte da família e/ou de amigos.

→ No trabalho:
- → coloca o emprego em risco por excesso de horas extras ou por artimanhas suspeitas que visem compensar o aumento constante dos gastos.

→ No corpo/físico:
- → em função do estresse crônico e de suas consequências, o comprador compulsivo está propenso a adquirir uma série de problemas de saúde física ou até agravar outros já existentes;
- → dificuldade para dormir por causa de preocupações.

→ Na esfera espiritual ou transcendente:
- → falta de sentido da vida; sensação crônica e angustiante de vazio constante.

4) Síndrome de abstinência

Se a fissura (desejo incontrolável) não for satisfeita, sintomas de ansiedade, depressão, irritabilidade, insônia, mal-estar e uma série de reações clínicas desagradáveis podem se manifestar, configurando-se em síndrome de abstinência. A intensidade desses sintomas varia de acordo com o elemento gerador da crise (drogas, álcool, estimulantes, compras etc.), podendo se revelar de maneira branda até em quadros muito graves.

Critérios diagnósticos para compulsão por compras

Em 1994, a psiquiatra Susan McElroy e alguns colaboradores elaboraram e publicaram na literatura científica alguns critérios para diagnosticar o transtorno do comprar compulsivo, que seguem de maneira simplificada[6]:

A – Preocupação, compras mal adaptativas ou impulsivas indicadas por pelo menos um dos seguintes itens:

1. Preocupação ou impulsos frequentes em relação às compras que são percebidos como irresistíveis, intrusivos e/ou sem sentido.
2. Frequentemente a pessoa gasta mais do que pode pagar, compra coisas desnecessárias ou passa mais tempo comprando que o planejado.

B – As compras consomem muito tempo, interferem significativamente no funcionamento social ou ocupacional (trabalho) ou resultam em problemas financeiros.

C – A compra excessiva não pode ocorrer exclusivamente durante períodos de mania ou hipomania[7].

---

6. *Compulsive buying: clinical foundations and treatment*, de Astrid Müller et alii.
7. Mania é um estado eufórico, característico do *transtorno bipolar do humor*, no qual pode haver diversos tipos de descontroles, inclusive uma "orgia" por

Como identificar se comprar é um problema?

Para encerrar este capítulo, relacionei cinquenta questões, com base empírica, que sugerem comportamentos característicos de compulsão por compras. Procurei, na medida do possível, dividir os sintomas em grupos distintos, que abarcam os tipos de ações, pensamentos, sentimentos e prejuízos mais comuns presentes em *shopaholics*. É importante que as perguntas sejam respondidas com a maior sinceridade, já que podem ser norteadoras pela presença ou não de um comportamento potencialmente prejudicial. Note que este questionário não tem por finalidade diagnosticar, mas apenas servir de base para que você possa procurar ajuda especializada.

Checklist: responda SIM ou NÃO

1º Grupo: Ações

1. Com frequência você compra coisas que não havia programado? É do tipo que sempre pega uma coisinha ou outra na fila do caixa do supermercado ou costuma sair de casa planejando gastar uma quantia "X", mas acaba perdendo o controle?

2. Faz compras de produtos de que não precisa ou que já tem? Possui coisas supérfluas que se estragam por falta de uso?

---

compras. Hipomania é um quadro semelhante à mania, diferenciando-se desta por apresentar sintomas com menor intensidade. Tanto na mania quanto na hipomania a compulsão por compras é circunscrita; ou seja, só ocorre durante esses períodos.

3. Você não consegue resistir a uma oferta ou promoção que parece imperdível?

4. Você compra coisas ou contrata serviços sem ter condições de arcar com eles financeiramente?

5. Costuma fazer compras e nem chega a abrir as sacolas ou os embrulhos?

6. Procura esconder de seus amigos e/ou familiares suas compras ou idas ao shopping?

7. Costuma criar estratégias para comprar de forma despercebida para ocultar seus hábitos de compras?

8. Já comprou várias coisas iguais para estocar ou colecionar? Por exemplo, comprar o mesmo produto com cores ou estampas diferentes ou comprar vários deles só para evitar que acabem?

9. Já tentou diminuir ou parar de comprar, mas não conseguiu? Você concorda que seria muito melhor para sua vida se interrompesse esse hábito?

10. Costuma mentir sobre a origem, o preço ou a marca dos produtos que adquire? Por exemplo, dizer que foi presente de alguém ou que não foi tão caro?

11. A maior parte de sua renda é gasta com itens não essenciais?

12. Você tem assinaturas em diversos sites de compras ou cadastro em várias lojas?

13. Já fingiu estar dormindo, com problemas de saúde ou algo parecido para não se confrontar com seus gastos?

14. Já abriu uma caixa postal no correio para não receber encomendas de compras em casa?

15. Já precisou vender objetos por ter necessidade de comprar mais?

16. Já passou madrugadas em canais de TV ou sites de vendas?

17. Esconde sacolas no porta-malas do carro para não ser flagrado?

18. Já mentiu sobre o que fez para esconder que estava comprando?

19. Já falsificou assinatura em cheques de cônjuge ou familiares?

20. Já retirou as etiquetas dos produtos para disfarçar que não são novos ou colocou todas as sacolas dentro de uma mais simples, para não levantar suspeitas sobre quanto comprou?

21. Já precisou emprestar dinheiro de um familiar, cônjuge ou amigo e mentiu sobre a sua real necessidade?

2º Grupo: Pensamentos

22. Ocupa mais de 70% do seu tempo com pensamentos que envolvem compras? O *shopaholic* frequentemente perde mais tempo comprando pela internet, por telefone ou em canais de televendas do que em qualquer outra atividade.

23. Considera-se um comprador descontrolado ou que consome imoderadamente?

24. Preocupa-se com os seus gastos e mesmo assim continua gastando? Ou seja, percebe a necessidade de mudar, mas não consegue colocar isso em prática ou suas promessas não se cumprem.

25. Não sabe ou não quer admitir o quanto compra?

26. Rumina a ideia que uma das coisas mais humilhantes na vida é não cumprir os compromissos financeiros?

27. Frequentemente arruma várias justificativas para comprar sem sentimento de culpa? Por exemplo: é um investimento, você merece etc.

28. Já teve ideação suicida por causa das consequências de seus atos?

3º Grupo: Sentimentos

29. Você faz compras com a intenção de demonstrar uma imagem idealizada? Necessita de adereços para se sentir bem com você mesmo e com os outros?

30. Faz compras para se sentir melhor, ou seja, as compras aliviam seu mal-estar?

31. Sente que algo o impulsiona a comprar? Tem a sensação de que seu corpo funciona por vontade própria, ou, por um momento, você deixa de ter controle sobre o seu "querer", como se houvesse um "anjinho" e um "diabinho" soprando no ouvido?

32. Costuma ter descontroles quando se sente sozinho, ansioso, decepcionado, deprimido ou irritado? Já percebeu se seu estado emocional influencia de alguma forma nos descontroles?

33. Faz compras para anular algum tipo de sentimento ou pensamento ruim? A compra serve de distração ou alívio para sensações angustiantes?

34. Sente prazer em gastar dinheiro? Seu programa favorito é sair para comprar, ou seu maior lazer é ir ao shopping?

35. Sente prazer, bem-estar ou uma leve euforia após ter realizado uma compra?

36. Sente-se ansioso, culpado ou envergonhado após a compra (a famosa ressaca comentada neste capítulo)?

37. Fica agitado, ansioso, irritado ou no limite quando não consegue comprar o que queria?

38. Tem coragem de mostrar os extratos do cartão de crédito para familiares ou amigos?

39. Sente-se flagrado quando lhe perguntam sobre alguma aquisição nova?

40. Adora folhear revistas ou catálogo de compras?

41. Quanto mais você compra, mais vontade sente de comprar?

4º Grupo: Prejuízos pessoais, familiares, sociais, econômicos

42. Tem aumentado seu limite de crédito, cheque especial ou número de cartões de crédito?

43. Está tendo problemas legais ou com o banco por causa de dívidas acumuladas por compras? Seu nome está no SPC, no Serasa ou você deve a agiotas?

44. Alguém de seus relacionamentos interpessoais (familiares, amigos, cônjuge) sofre por causa de seu hábito de comprar? Já teve desentendimentos com pessoas próximas em relação a isso?

45. Já deixou de cumprir algum compromisso agendado em função das compras ou porque está na fase de ressaca?

46. Seu rendimento no trabalho já foi afetado de alguma forma?

47. Tem evitado atender telefonemas ou abrir correspondências para não enfrentar as consequências das compras?

48. Frequentemente se define como uma pessoa sem dinheiro, com o bolso furado ou que está "quebrado"?

49. Já ficou sem luz, gás, comida ou deixou de pagar contas essenciais, como plano de saúde ou escola dos filhos, por gastar indevidamente com supérfluos?

50. Já teve que devolver alguma mercadoria por não conseguir pagá-la?

5º Grupo: Diagnóstico diferencial

51. Não ser portador de transtorno bipolar do humor. Nesse caso, a compulsão por compras se restringe apenas à fase de mania ou hipomania, sendo, então, um diagnóstico secundário.

Resultado: ter respondido "sim" para 50% a 70% dos itens, ou seja, 25 a 35 pontos, representa um sinal amarelo de atenção, que sugere que há um comportamento abusivo e/ou excessivo de compras. Caso você ainda não tenha apresentado problemas em relação a isso, fique atento, pois é possível que seja só uma questão de tempo para que eles comecem a aparecer. Acima de 70% é um sinal vermelho, que sugere fortemente a compulsão por compras, sendo indicado nesse caso procurar ajuda especializada.

A compulsão por compras guarda em si uma complexidade que, num primeiro momento, pode parecer desanimadora. No entanto, existe uma luz no fim desse túnel: o problema tem tratamento, e a grande maioria dos pacientes apresenta melhoras consideráveis, especialmente quando eles se predispõem a aderir às propostas terapêuticas.

O admirável mundo do consumo tem nos shopping centers seus maiores símbolos. Eles representam todos os nossos desejos de beleza, diversão, segurança, consumo, identidade e lazer.

5
O ADMIRÁVEL MUNDO NOVO DO CONSUMO
Os shopping centers

"O avião, o avião..."

Essa frase tão simples era o refrão de abertura de um dos maiores sucessos da tv na década de 1980: o seriado americano *A ilha da fantasia*. Confesso que eu adorava assistir à série; os episódios tinham duração de sessenta minutos e, nesse período, meus olhos e ouvidos não captavam nada além do que transmitia a telinha de tv, que ficava em lugar de destaque na sala de casa. Totalmente focada e para não perder nenhum detalhe, eu me deitava no tapete em frente ao aparelho e, sob a cabeça, uma almofada sustentava os meus sonhos tão bem alimentados pela magia daquele momento.

O seriado se passava em uma ilha paradisíaca, sem uma localização conhecida, onde qualquer pessoa poderia ter seus desejos realizados. Os hóspedes dessa aventura chegavam de avião e, em caráter exclusivo, eram recepcionados com uma espécie de cerimônia de boas-vindas. Mulheres e homens bonitos lhes ofereciam largos sorrisos, colares havaianos, boa música e drinques exóticos que encantavam com seus copos diferentes e cores inebriantes. Logo depois, os visitantes eram recebidos pelo anfitrião do lugar, o sr. Roarke (interpretado por Ricardo Montalbán) e seu auxiliar Tattoo (vivido por Hervé Villechaize), um anãozinho extremamente simpático que exercia um sem-número de tarefas naquele paraíso tropical.

Ao final de cada episódio, os visitantes tinham seus desejos mais íntimos realizados, mesmo que isso significasse rever entes já falecidos, ocupar cargos sempre almejados, vencer disputas já perdidas, reaver amores fracassados, entre tantas fantasias. O sonho tinha hora certa para acabar, pois, em pouco tempo, os "felizardos" retornariam ao ponto de chegada e entrariam no avião, que os conduziria de volta à vida real. Porém a realização desses desejos era privilégio dos poucos que se dispunham a pagar pequenas fortunas para se hospedar na ilha misteriosa.

Muitos anos se passaram desde então, e hoje percebo que *A ilha da fantasia* se assemelha a determinados resorts luxuosos que prometem, em poucos dias, reabastecer nossas baterias, exauridas pelo cotidiano desgastante da vida real.

Guardadas as devidas proporções, também tenho a impressão de que os shopping centers tendem a se constituir em verdadeiras "ilhas das fantasias consumistas" de nossos tempos. Foi justamente na década de 1980 que ocorreu no Brasil o movimento de expansão desses shoppings, onde um mundo mágico de conforto e segurança é oferecido aos consumidores para que eles comprem mercadorias e serviços com o máximo possível de "bem-estar".

Valquíria Padilha, em seu livro *Shopping center: a catedral das mercadorias*, analisa como, utilizando esse disfarce de qualidade de vida, a urbanização das cidades vai sendo moldada dentro da lógica da sociedade consumista. Os administradores de shopping centers sabem muito bem que o "mundo de fora" (o espaço público de nossas cidades) está repleto de problemas relacionados à insegurança e à insuficiência de locais adequados a uma convivência social pacífica em atividades culturais e de lazer. E, por isso mesmo, tais executivos são hábeis em oferecer uma "solução" que seja capaz de gerar lucro ao mesmo tempo que satisfaça as demandas individuais de consumo, diversão e proteção. Não é difícil entender o esvaziamento notório que ocorreu nas últimas décadas nas políticas públicas (municipais e/ou estaduais), que deveriam priorizar o caráter comunitário nas relações sociais. Sem nos darmos conta, aprovamos uma "solução" de origem privada totalmente alicerçada na lógica da economia de mercado, para disfarçarmos os "rombos" existentes em nossa convivência social. Os shoppings não deixam de ser verdadeiras "ilhas fantasiosas" que recriam, de forma artificial, cidades bonitas, limpas, seguras, nas quais podemos nos alienar dos reais problemas que tomam conta das cidades reais onde vivemos (Padilha, 2006).

Concordo com Padilha (2006) quando analisa que um dos aspectos mais sedutores dessa ilha de prosperidade ilusória é a sua dupla face de compras e lazer. Quando vamos ao shopping, estamos mentalmente programados para associar o ato de consumir a uma espécie de entretenimento que suprirá nossas necessidades materiais, culturais e sociais. Quando estamos sem nada para fazer, uma espécie de lógica submissa nos leva a pensar: "Vou dar uma voltinha no shopping para tomar um cafezinho, olhar as novidades ou, quem sabe, pegar um cineminha". De maneira quase natural, transformamos nosso tempo livre em mercadorias prontas para serem consumidas. Consumir nosso tempo livre é o mesmo que pagarmos para não pensar, refletir ou mesmo criar. O livro *O ócio criativo*, do sociólogo italiano Domenico de Masi, deixa muito claro que todo ser humano necessita do ócio (tempo livre) para que, em seu silêncio interior, possa entrar em contato com o melhor do seu eu. Assim, ele consegue acessar a matéria-prima individual que possibilita a criatividade talentosa que cada um de nós possui, mesmo que esteja de forma latente.

Tenho profunda simpatia por esse conceito de De Masi e acredito que, além de conseguirmos acionar nossos potenciais internos no exercício do silêncio ocioso, podemos exercer a simples contemplação externa nos tempos livres, que também desperta nossas atividades criadoras. Na minha percepção, essa parece ter sido a combinação mais produtiva na mente do maior criador humano de todos os tempos: Leonardo da Vinci.

Na sociedade consumista, o ócio, no sentido de não fazer nada ou de simplesmente contemplar a vida, tem uma conotação de preguiça ou falta de caráter. E só é visto dessa forma porque o nosso sistema econômico prioriza o lucro advindo de uma atividade produtiva acelerada e de uma atividade consumista exacerbada ou descontrolada, já que, assim, o mercado pode ser permanentemente expandido, e a economia, alimentada. Nesse contexto, parar significa não consumir, e isso é um pecado mortal dentro da sociedade em que estamos inseridos. Por tal razão, os shoppings se encarregam de nos oferecer atividades de lazer prontas para serem consumidas sob o pretexto "altruísta": facilitar nossa vida já tão desgastada pelo trabalho estressante.

Valquíria Padilha nos lembra ainda que essa "bondade" dos shoppings em nos oferecer no mesmo espaço um centro de compras, de lazer e de interações sociais só é válido para uma parcela da população que apresente certo poder aquisitivo, que permita a sua inclusão nesse "clube de tantos benefícios e exclusividades". De forma camuflada, a segregação social é feita não pelo impedimento físico da população a seus espaços, mas pela exclusão da grande maioria da população mundial, que não possui recursos financeiros para o acesso a esse admirável mundo novo, na qual compras, diversão e segurança são oferecidas sob a maquiagem de limpeza, beleza e conforto.

Os shopping centers como território de manifestações sociais

Como visto, os shoppings representam uma alternativa relativamente simples e agradável para a parcela economicamente favorecida da população, que pode pagar para "viver" uma nova cidadania dentro desses templos privados, travestidos de novas cidades em amplos espaços públicos. O shopping guarda em sua essência o sistema econômico que representa e ajuda a perpetuar o capitalismo do mercado, gerador e fomentador do lucro material. Socialmente falando, os shopping centers são símbolos maiores da desigualdade, da segregação e dos valores que regem a sociedade de consumo e, consequentemente, representam as classes sociais de maior poder aquisitivo (as classes média e alta da população).

No Rio de Janeiro (cidade onde nasci e moro até hoje), no Shopping Rio Sul – um dos mais bem localizados e frequentados da cidade –, em agosto de 2000, houve uma manifestação pacífica contra o estilo de vida representado pelo comportamento "Compro, logo existo". Centenas de moradores das comunidades ao redor (favelas adjacentes) e trabalhadores sem moradia (os sem-teto) entraram no shopping e circularam silenciosamente entre os clientes habituais do local. O manifesto foi organizado pela Frente de Luta Popular, e, na ocasião, um dos coordenadores declarou que o intuito da ação era incomodar e trazer um pouco de realidade para as pessoas que frequentavam aquele espaço de maneira contumaz. De certo modo, elas acabavam por se alienar quanto a outras formas bem mais comuns e menos glamourosas de viver o cotidiano de trabalho duro e de compras relacionadas às suas necessidades mais básicas, principalmente a alimentação.

Ficou evidente, na situação, o poder discriminatório nos templos de consumo: a maior parte dos shoppings oferece o que a maioria da população não pode pagar. Além do mais, eles discriminam e excluem pessoas que não estejam aptas a decodificar seus sinais ou representar seus símbolos ou valores (Padilha, 2006). Isso fica bem claro quando seguranças dos shoppings bloqueiam a circulação de determinadas pessoas que se apresentam em "desalinho" estético ou comportamental frente ao padrão preestabelecido pelo poder privado, responsável por realizar e administrar esses espaços. A segurança em tais locais destina-se às classes mais privilegiadas, as quais, fora dali, em espaços públicos (ruas, praças etc.), estão tão desassistidas quanto as classes menos desfavorecidas. Concordo com Padilha (2006): Isso tudo é decorrente da ineficácia e do descompromisso de nossas políticas no que tange à segurança e a todos os aspectos sociais relacionados ao fenômeno de violência urbana.

O movimento bastante simbólico do Shopping Rio Sul me fez lembrar do memorável desfile da escola de samba Beija-Flor, em 1989, cujo enredo era *Ratos e urubus, larguem minha fantasia*, idealizado por Joãosinho Trinta. O desfile contou com uma antológica ala de mendigos e teve ainda um carro alegórico com a réplica do Cristo Redentor coberto por um plástico preto, em virtude de uma ação judicial impetrada pela Igreja católica. Uma parte da ala de mendigos simulava uma escalada aos camarotes a Sapucaí, em uma nítida alusão "de matarem sua fome" com os banquetes e fartura dos VIPs que assistem à competição carnavalesca. A Beija-Flor não ganhou o Carnaval daquele ano; foi vice-campeã, mas o que se viu naquele desfile foi uma demonstração explícita das desigualdades extremas entre as classes pobres e miseráveis e as abastadas e favorecidas de nossa sociedade. Tais cenas jamais se apagarão da memória de quem ama a arte como instrumento de reflexão social. Confesso que sou portelense roxa, ou melhor, azul, mas naquele ano fui Beija-Flor de alma e de emoção!

Em 2013 e início de 2014, os shoppings novamente serviram de cenário para mais um evento de cunho social, mas dessa vez a mensagem foi algo surpreendentemente diversa. Era a vez do "rolezinho".

Tudo começou na periferia de São Paulo, quando centenas de jovens e adolescentes passaram a se organizar por meio de redes sociais como o Facebook para se reunir em praças públicas e especialmente em shoppings para se divertir, namorar, ouvir música e comprar objetos e roupas de marca. Rolezinho é o diminutivo de rolê (dar uma volta), cujo propósito seria promover o maior encontro possível entre amigos, virtuais ou não. Em 7 de dezembro de 2013, cerca de 6 mil jovens foram convocados a comparecer ao estacionamento do Shopping Metrô Itaquera, em São Paulo, onde os adolescentes costumam se encontrar para rever os amigos, assistir a filmes, comer em lanchonetes. Nesse dia, porém, os seguranças, com o intuito de dispersar a turma, fizeram com que todos entrassem no shopping, assustando os frequentadores e os lojistas, que pensaram se tratar de um arrastão. A situação teve repercussão nacional e internacional, e, a partir de então, passamos a conhecer esse novo fenômeno que já era bastante comum nas periferias de São Paulo e que se expandia para outros estados e em proporções muito maiores[8].

O mais interessante em relação ao fenômeno rolezinho foi a distorção imediata que grupos totalmente fora do movimento tentaram fazer para transformá-lo em um símbolo de luta entre

---

8. "A turma da algazarra." Revista Época, ed. 816, 17 jan. 2014.

classes sociais. Claro que essa tentativa, felizmente frustrada, surgiu dos tradicionais radicais de plantão. Do lado esquerdo, quiseram transformar esse "movimento cultural" em uma espécie de incorporação social dos apartados. Já do lado direito, o rolezinho foi visto como uma intimidação à sociedade, tal qual uma bagunça organizada que deveria ser combatida a qualquer custo e reprimida com a força da lei e policial. No entanto, o rolezinho se mostrou um encontro de jovens que nada tinha a ver com essas teorias ideológicas criadas de maneira oportunista pelas alas radicais da sociedade.

No fenômeno rolezinho, um desses milhares de jovens se responsabiliza por convidar "celebridades" dos bairros da periferia. Ou seja, garotos e garotas cujos perfis nas redes sociais possuem milhares de seguidores e, por isso mesmo, são denominados "ídolos". Sem os ídolos, o rolezinho não acontece, pois são eles que atraem seus fãs para o ponto de encontro. O rolezinho nada mais é que "uma grande oportunidade" de os fãs virtuais conhecerem pessoalmente seus ídolos virtuais e com eles tirar fotos que serão autografadas e imediatamente postadas nas redes sociais. Tudo num explícito movimento de exibicionismo pessoal, que tem o objetivo "social" de valorizar a própria imagem e sua popularidade em seus ciclos de amigos reais e/ou virtuais. Os ídolos chegam a ganhar presentes de seus fãs e a ser perseguidos e agarrados por eles, no mais autêntico estilo pop star da periferia. Detalhe: os presentes ofertados aos ídolos devem ser roupas, sapatos, bonés, óculos etc., todos legítimos e de grifes reconhecidas e aprovadas por eles. Como se não bastasse, algumas lojas também oferecem roupas e acessórios a essas celebridades para que as divulguem em redes sociais.

Os jovens do rolezinho expressam, de forma ideologicamente decepcionante, a sociedade consumista do espetáculo. Suas bandeiras são suas roupas e acessórios de marca, e suas gritarias pelos corredores dos shoppings representam o lado mais fútil e banal do comportamento adolescente. A rebeldia típica da adolescência, nesse caso, está a serviço do consumo idiota, que só faz exaltar os valores desprezíveis de uma sociedade em que ter é muito mais importante e determinante que ser. Os jovens que promovem e participam do rolezinho não passam de consumidores bem treinados pelo marketing para comprar aquilo que julgam ser capaz de lhes proporcionar felicidade imediata e identidade reconhecida. Não passam de mercadorias descartáveis dentro de um sistema econômico em que todos são compelidos a viver de forma robotizada.

Na revista *Veja*, de 22 de janeiro de 2014, o depoimento da cuidadora e diarista Maria Silva, mãe de Yasmin de Oliveira, de quinze anos, retrata essa triste realidade: "Yasmin é uma menina muito cara", "Estou tentando comprar um apartamento, mas ela não deixa". A adolescente gasta além das possibilidades de sua mãe e costuma postar fotos na internet daquilo que usa.

Nos meus mais pessimistas pensamentos sobre o rumo dos movimentos pela libertação feminina ou por uma sociedade mais justa e igualitária ocorridos nas décadas de 1960 a 1980, jamais poderia imaginar coisas parecidas com as que tenho presenciado. Lutamos tanto para "pagar caro" para não sermos "nada". Essa é a rebeldia dos nossos jovens? Sinceramente quero acreditar que não!

Os shoppings como máquinas consumidoras do nosso tempo livre

Se pararmos um pouco para pensar, nossa vida é determinada pelo tempo durante o qual existimos, afinal, somos finitos exatamente no tempo compreendido entre o nascimento e a morte material. Na obra *Metamorfoses*, o poeta romano Ovídio, de 43 a.C., já expressava tal preocupação humana quando citou a célebre frase *tempus edax rerum*; ou seja, "tempo devorador de todas as coisas". Dentro desse contexto, o tempo humano é algo precioso. Habitualmente, nosso tempo é dividido em dois principais aspectos: o tempo que dedicamos ao trabalho e o que reservamos ao lazer. O dedicado ao trabalho costuma tomar grande parte de nossa rotina diária. Trabalhamos, a princípio, para gerar dinheiro e, com ele, comprarmos tudo o que é necessário para nossa sobrevivência física (comida, moradia, saúde, educação, transporte, vestimentas etc.). No entanto, o trabalho deve ser bem mais do que mero veículo para nossa existência material: para valer a pena, deve ser o veículo que dá sentido à nossa existência. Para isso, devemos transformar nossos talentos mais precoces em matéria-prima do nosso ofício futuro. Somente assim podemos dar significado ao nosso trabalho e à maior parte da nossa vida.

Por outro lado, e não menos importante, temos o tempo que dedicamos ao lazer. Em uma sociedade capitalista como a nossa, vivemos um terrível paradoxo: somos estimulados a economizar o máximo possível de tempo para depois gastá-lo em atividades denominadas de passatempo, tempo de lazer, ou, ainda, tempo livre. A palavra lazer vem do latim *licere*, que significa "ser lícito, ser permitido", que nos conduz à noção de sermos livres, de termos liberdade. Pensando com Padilha (2006), se considerarmos que os shoppings representam cada vez mais o local onde os indivíduos buscam suas atividades de lazer e tendem a viver sua vida "fora do trabalho", constataremos que a nossa liberdade está sendo transformada em coisas a serem possuídas, pois não criamos o nosso lazer – ele nos é oferecido de forma pronta e prática para ser consumido sem desperdício de tempo. Sem percebermos, nos tornamos prisioneiros no território das necessidades e esquecemos completamente o fato de que lazer, arte e felicidade são experiências que precisam nascer e se desenvolver no território da liberdade.

No reino dos shopping centers, transferimos poderes incalculáveis às coisas materiais e transformamos o lazer em mais uma mercadoria a ser consumida. O tempo livre e a liberdade adquirem um caráter de comercialização, que alimenta um sistema econômico destinado a produzir seres humanos alienados, solitários e infelizes dentro de si mesmos.

O admirável mundo do consumo tem nos shopping centers seus maiores símbolos. Eles representam todos os nossos desejos de beleza, diversão, segurança, consumo, identidade e lazer. Como expus no início do capítulo, os shoppings são similares ao seriado *A ilha da fantasia*: basta ter dinheiro para que seus desejos sejam realizados. Contudo, resta saber se, ao final dessa trajetória, estaremos aptos a vivenciar ou encontrar a tal senhora chamada felicidade. Se nos basearmos nos episódios do seriado televisivo da década de 1980, constataremos que a felicidade não pode ser comprada nem mesmo pelos homens mais ricos do mundo. Ela está em algum lugar dentro de nós mesmos – onde dinheiro, cartões de crédito ou cheques não têm acesso!

Como tenho uma visão bem definida entre ficção e realidade, ouso inferir que, em um futuro bem próximo, ao menos em relação à felicidade, a vida imitará a ficção. Torça para que isso ocorra em breve, pois a infelicidade é o maior fator desencadeante de adoecimento humano. E, como sabemos, saúde física e saúde mental não têm preço!

Crianças e adolescente necessitam de objetos tão caros? Que diferença isso faz na vida prática deles?

6
MERCADO CONSUMIDOR INFANTIL
"Crianças de menos, adultos de mais"

Como visto, em uma sociedade capitalista como a nossa, o consumo, além de determinar nossa sobrevivência física, desempenha profunda influência em nossas relações interpessoais e em nosso posicionamento social. O que consumimos diz muito sobre quem somos e sobre como exercemos a nossa humanidade (nossas qualidades e limitações) no contexto social. Vimos também o quanto consumir pode ser nocivo e disfuncional, e a *compulsão por compras* ou *oniomania* é o exemplo mais fidedigno desse tipo de problema comportamental. É claro que, para ser um comprador compulsivo, é necessário ter um mínimo de autonomia financeira. Então cabe a pergunta: crianças e adolescentes, que são dependentes de seus pais ou provedores, podem apresentar quadros comportamentais semelhantes aos de um *shopaholic*? De acordo com os estudos de Susan Linn,[10] professora de psiquiatria na Escola Médica de Harvard, as crianças foram transformadas no que o marketing denomina de "mercado infantil", uma indústria mundial que fatura bilhões de dólares ao ano.

Certa vez fui caminhar na Lagoa Rodrigo de Freitas, no Rio de Janeiro, com Carol, uma grande amiga dos tempos de vesti-

---

10. *Consuming kids: protecting our children from the onslaught of marketing and advertising*, de Susan Linn.

bular. Era um belo dia de inverno, sem nenhuma nuvem no céu e com uma deliciosa brisa. Carol trouxe a sobrinha Ana Luísa, de apenas seis anos, para nos acompanhar. Durante o passeio, fomos nos atualizando a respeito da vida de cada uma, e conheci um pouco mais sobre aquela garotinha inteligente, eloquente e bastante madura para sua idade.

Ao final, sentamos no gramado e contemplamos a Lagoa e a paisagem do Rio, sempre deslumbrante. Enquanto tomávamos água de coco, eu exaltava a Ana Luísa a beleza natural da cidade e mostrava um pouco do meu amor por tudo aquilo. A menina também me disse gostar da natureza, de "cachorrinhos engraçadinhos e peludinhos", de caminhadas e de aventuras. Ela parecia estar satisfeita em estar ali e se divertia ao apreciar uma paisagem tão bela. Quando pensei que nós três estávamos realmente conectadas ao lugar, Ana Luísa nos disse com naturalidade: "Essa natureza toda me dá uma vontade de fazer umas comprinhas no shopping e olhar as vitrines!". Arregalei os olhos, olhei para Carol, e rimos ao mesmo tempo que ficamos perplexas com aquilo. Não entendemos a conexão entre a natureza e o shopping; parecia algo sem sentido. Comecei a indagar a Ana Luísa se sua vontade de fazer compras era por necessidade de algo específico, se era aniversário de alguém etc., e ela me explicou que precisava de roupas e brinquedos. Fiquei tentando buscar mais elementos a fim de entender de onde partiu aquele comentário. Perguntei se ela não tinha roupas e brinquedos em casa. "É claro que tenho!", respondeu. Ainda na tentativa de compreender aquele cérebro infantil, rebati: "Então por que você precisa de mais?". De forma simples, ela me respondeu: "Porque quero. Quero porque quero!". Embora ela compreendesse bem meus argumentos e meu discurso, isso não anulava a sua vontade e persistência em querer mais coisas.

O nosso querer, na verdade, não é um processo lógico ou racional, e sim totalmente emocional, ainda mais quando se trata de crianças. A maioria das coisas que queremos não tem lógica alguma: vemos algo de que gostamos (por sua cor, formato ou estilo) e o imaginamos em algum lugar de nossa casa ou até em nós mesmos. De modo quase imediato, formamos uma intimidade com aquele objeto, que passa a ser "querido" – mas tão querido que desejamos que seja nosso. Esse desejo não se restringe somente a coisas ou objetos, mas a lugares, momentos, pessoas, tudo, enfim. É claro que nem tudo se compra, mas tudo se deseja e, no mundo imaginário, tudo é possível!

Quem nunca sonhou, em algum momento da vida, em ganhar na Mega-Sena? E até já pensou nas compras, nas viagens e nas doações que faria com o dinheiro? Apesar de tudo ser fruto da imaginação, por alguns instantes os planos pareciam tão reais, tão tangíveis... É exatamente aí que o marketing nos "sequestra": pelos sonhos, pelos momentos mágicos que alimentam nossos desejos, mostrando-nos que eles podem, sim, se tornar realidade. É só a gente querer e poder pagar!

Respondendo à pergunta inicial, se as crianças podem ter comportamentos semelhantes aos dos *shopaholics*, essa é mais uma questão de poder. Ou seja, se elas puderem comprar com a ajuda dos pais ou parentes, dispostos a transformar seus desejos em realidade, poderão, sim, apresentar quadros comportamentais de um *shopaholic* e se tornarão pequenos colecionadores, acumuladores etc. A diferença é que crianças não conseguem crédito com bancos para se endividar, não têm autonomia para ir por conta própria às lojas e, em sua maioria, necessitam que alguém disponibilize recursos financeiros para isso. Mas a impulsividade e a falta de discernimento delas as tornariam quase todas compulsivas por compras se pudessem ter acesso fácil ao dinheiro e independência para gastá-lo como achassem melhor.

Os baixinhos como alvo do marketing

Aqui, procuro retratar como o consumo desenfreado atinge os pequenos consumidores, os quais, como veremos, na verdade não são tão pequenos assim em matéria de consumo.

De acordo com o censo do IBGE, em 2006, a população com menos de catorze anos já representava 28% da população brasileira, o que girava em torno de 53 milhões de crianças. Na época, os dados do Instituto Alana, de São Paulo, indicavam que esse contingente infantojuvenil já era capaz de movimentar um mercado de 50 bilhões de reais, dos quais cerca de 210 milhões de reais eram gastos somente em publicidade de produtos infantis.

A compulsão por compras, infelizmente, pode acometer crianças e adolescentes, como também pessoas de qualquer religião ou credo, idade, poder aquisitivo, nacionalidade. Todos, sem exceção, estão suscetíveis ao problema, mas em graus diferentes, dependendo de sua exposição, da influência da cultura do consumismo e do perfil individual de personalidade.

Vários países, incluindo os Estados Unidos, o Canadá e, mais recentemente, o Brasil, já estão se preocupando com essa realidade na qual crianças influenciam, em muito, o consumo de seus familiares, em especial de seus pais. Um levantamento realizado pelo IBGE, em 2003, encontrou resultados no mínimo alarmantes: 80% das compras realizadas pelos pais para o domicílio – o que inclui móveis, utensílios, comida, produtos de limpeza etc. – são diretamente influenciadas pelas crianças.

Países como Noruega, Suécia e Grécia e o estado de Quebec (província do Canadá) estão atentos ao caráter mais que persuasivo e manipulador das propagandas infantis e, por essa razão, proibiram qualquer tipo de comercial vinculado a esse público.

O cérebro das crianças é ávido por conhecimento, e, dessa forma, elas aprendem mais rapidamente que os adultos. Numa sociedade capitalista, desde cedo os "pequenos" têm noção exata de que quase tudo o que desejam é realizado por meio da compra. A grande questão que se configura nesse contexto é se esse "quase tudo" inclui bem-estar, amor e felicidade. Na percepção curiosa e imediatista da mente infantil, sim! O que os pais, os educadores e a sociedade como um todo precisam indagar é: são esses os valores que queremos transmitir às nossas crianças?

Televisão e internet: as babás modernas

Já foi a época em que tínhamos, em tempo integral, nossa mãe ou cuidadoras como Dona Benta e Tia Nastácia, ou até mesmo babás como Mary Poppins, que faziam parte da família, nos acompanhavam em viagens, compartilhavam momentos de alegria e de tristeza. Com a conquista das mulheres no mercado de trabalho e sua independência em relação aos homens, elas estão cada vez menos disponíveis para cuidar efetivamente de seus filhos, e as babás, por sua vez, menos acessíveis financeiramente à maioria das pessoas.

Paralelamente, as creches públicas são escassas, e as particulares ainda são artigo de luxo para muitos de nós. Em consequência disso, as crianças passam mais tempo em casa desassistidas ou acompanhadas por irmãos, diaristas ou pessoas com as quais possuem vínculos afetivos passageiros e que não podem exercer papéis de educadores de fato.

A maior parte das escolas não funciona em período integral, e isso faz com que as crianças fiquem mais tempo em casa grudadas na TV e/ou na internet. Isso justifica o fato de o Brasil, em 2005, ter liderado o *ranking* de horas assistidas de televisão por crianças: cinco horas por dia.[11] Nesse pódio, o Brasil desbancou até os Estados Unidos, provavelmente porque lá o tempo integral para escolas e creches é obrigatório. Os programas de TV e os comerciais acabam fazendo o papel de educadores justamente em uma fase crucial de formação do ser humano: a infância.

O processo de aprendizagem infantil compreende conceitos simples e objetivos; assim, as crianças interpretam a subjetividade dos anúncios e dos comerciais de forma diversa dos adultos. Elas vivem em um mundo muito mais lúdico e colorido, no qual o limite entre o imaginário e a realidade se torna difícil de ser percebido. A mentira é um bom exemplo dessa subjetividade: a criança (entre três e cinco anos) não entende

---

11. Fonte: Instituto Akatu (Consumo Consciente): organização não governamental sem fins lucrativos que trabalha pela conscientização e mobilização da sociedade para o consumo consciente.

o porquê de se dizer algo que não seja verdadeiro. As analogias utilizadas em grande parte dos comerciais não são interpretadas pela criança dessa forma, mas como verdades absolutas. Quando vê em um anúncio que um biscoito recheado é capaz de lhe trazer felicidade, ela realmente acredita nisso e nunca pensará em questionar a qualidade do produto anunciado. Poucas crianças conseguem perceber precocemente que determinada margarina não conseguirá reunir a família no café da manhã, que o cereal "X" não a tornará forte como um leão ou que o leite da marca tal não é capaz de fazê-la crescer mais. A maioria delas acredita em tudo que é apresentado com cores bonitas e efeitos especiais, capazes de acionar o mundo encantado dos sonhos infantis.

As crianças interpretam o que é dito ao pé da letra, e, por isso, cada vez mais se discute a questão de comerciais voltados a elas ou de publicidade para adultos em horários livres. Somente a partir dos seis anos, elas começam a entender o valor simbólico do dinheiro (se um produto custa caro ou não etc.).[12] Segundo a dra. Isabela Henriques, advogada e coordenadora do Projeto Criança e Consumo, "o artigo 36 do Código de Defesa do Consumidor diz que a publicidade deve ser facilmente percebida como tal por quem assiste, e a criança só consegue distinguir a publicidade da programação após os dez anos de idade de modo geral".[13] Diante desse contrassenso e da falta de regulamentação da publicidade infantil no Brasil,

---

12. Fonte: Projeto Criança e Consumo, do Instituto Alana de São Paulo.
13. Fonte: Entrevista concedida à Akatu, em outubro de 2007, diponível em <http://www.akatu.org.br/Temas/Consumo-Consciente/Posts/Criancas-e-consumo-uma-relacao-delicada>.

cabe aos pais e aos adultos ensinar às crianças valores e modelos que as capacitem a ser consumidores conscientes no futuro.

O papel do consumo na obesidade infantil

Até bem pouco tempo atrás, não havia uma conscientização em relação ao que as crianças deveriam ou não comer. E, ainda hoje, muitos dos familiares e cuidadores sentem certa satisfação ao verem as crianças se alimentando com voracidade, como se isso fosse sinônimo de saúde física.

Com a industrialização e a globalização, houve um aumento considerável na variedade e na qualidade nutricional dos alimentos. Sendo assim, foi preciso reavaliar a verdadeira necessidade alimentar das crianças, de acordo com a idade, o sexo e a constituição física de cada uma. A partir da década de 1980, foram criados os primeiros guias de alimentação infantil.

Atualmente, após o aleitamento materno, a alimentação de crianças deve seguir as orientações individualizadas do pediatra e/ou nutricionista. No entanto, devido ao caráter persuasivo que as crianças têm, muitas delas conseguem escapar da dieta saudável e, sem qualquer censura típica da idade, mergulham nas guloseimas que, muitas vezes, são mais baratas e mais fáceis de ser adquiridas que os alimentos saudáveis.

Um exemplo prático disso são os sucos artificiais ou os refrigerantes, que apresentam custos mais reduzidos e mostram-se bem mais práticos para o consumo que os sucos naturais. Uma alimentação baseada em produtos frescos e saudáveis é cara, perecível e exige tempo para o preparo.

Em 2004, o Instituto Akatu divulgou um estudo em que 35% das crianças do planeta já eram consideradas obesas, e o maior percentual se concentrava nas classes sociais mais baixas.

Diante desse contexto epidemiológico, podemos observar os fatores que contribuem para tal panorama: urbanização das populações; aumento do marketing infantil; acesso aos produtos industrializados, à televisão e à internet; e sedentarismo.

Reiterando a influência do marketing no consumo infantil, em 2007, o Instituto Alana constatou que 50% das propagandas assistidas diariamente por crianças brasileiras são de produtos alimentícios. Desse total, 34% são de guloseimas e salgadinhos, 28% de cereais, 10% de *fast-food*, 1% de sucos de fruta e nenhum de frutas e legumes.

Afinal, será que as guloseimas são realmente as vilãs da obesidade infantil crescente em todo o mundo?

Os estudos do Instituto Alana indicaram que a principal causa do aumento da obesidade tanto em crianças quanto em adultos é a inadequação qualitativa e/ou quantitativa das atividades físicas: sedentarismo, excesso de horas gastas em frente à TV, aos computadores, a tablets, celulares e todas as comodidades da era tecnológica.

Consumo e sua influência no *bullying*

Bullying é qualquer violência física e/ou psicológica que ocorre dentro do território escolar, de forma intencional, repetitiva e em que a vítima não tem condições de fazer frente a seus agressores. É um fenômeno que sempre existiu, mas que só foi reconhecido e estudado a partir da década de 1980. As consequências negativas geradas pelo *bullying* são as mais diversas possíveis e costumam repercutir na vida adulta.[14]

A discriminação que ocorre em função do poder aquisitivo e de bens materiais é um dos motivos que mais contribui para a prática do *bullying* entre crianças e jovens. Os agressores se utilizam de diversas ações, como hostilizar, ofender, humilhar, excluir ou perseguir aqueles que não se enquadram nos padrões financeiros estabelecidos pelo grupo. Vale ressaltar que uma parcela de vítimas do *bullying* também passa a adotar o mesmo comportamento dos agressores, discriminando novas vítimas. Essas vítimas também praticam *bullying* para escapar das agressões pessoais e acabam alimentando e reforçando a tirania de valores materiais e nada éticos que imperam na cultura consumista.

Em minha prática clínica, observo constantemente crianças e adolescentes que são vítimas de *bullying* por não terem determinado smartphone, tablet, um jeans da moda, cujo valor é uma exorbitância. Pergunto: crianças e adolescente necessitam de objetos tão caros? Que diferença isso faz na vida prática deles? Teoricamente, nenhuma; no entanto, muitos serão excluídos socialmente por não pertencerem ao grupo daqueles que os têm. Nesse universo de superficialidades, tudo é motivo para discriminação: o bairro onde o indivíduo mora, o carro que possui, suas roupas e acessórios, os lugares para onde viaja nas férias, o corte de cabelo, a forma física...

Todas essas situações refletem uma triste realidade: o que realmente tem valor nas escolas e na sociedade como um todo são "as coisas" que as pessoas possuem e que lhes conferem

---

14. Fonte: *Bullying: mentes perigosas nas escolas.*

padrões preestabelecidos de sucesso e felicidade – padrões que mudam rapidamente, como as coleções de moda ditadas pelas estações do ano. A escola está deixando de ser um território fértil de estudo, de amizades e de exercício de cidadania para se tornar mais um espaço "sitiado" pela cultura consumista.

O poder dos pais sobre as crianças e do marketing sobre os pais

Não podemos esquecer que os pais possuem grande influência sobre o comportamento dos filhos, especialmente quando eles ainda são crianças. Nessa fase, os pequenos costumam ver seus pais com "lentes especiais", capazes de lhes conferir qualidades que lembram superpoderes. Por conta dessa generosa visão infantil, os pais são os melhores educadores e formadores de valores que os filhos podem ter. Os valores aprendidos nessa fase, por meio de conversas, atitudes e, especialmente, exemplos comportamentais, costumam ser fortes e perenes.

Esse poder de influência dos pais também tem seu lado B. Em uma sociedade materialista como a nossa, os pais se veem cada vez mais envolvidos com o trabalho e acabam dispondo de pouco tempo para se dedicar à formação e ao desenvolvimento dos filhos. Por conta disso, tentam compensá-los com bens materiais. Em pouco tempo, as crianças aprendem que, quanto mais seus pais se ausentam, mais elas adquirem o "direito" de ganhar "recompensas", e a indústria de brinquedos sabe muito bem como preencher esse vazio familiar. Com essa dinâmica em pleno funcionamento, os pais se submetem a uma verdadeira tirania infantil, que se utiliza de instrumentos poderosos que incluem chantagens, "carinhas fofas", "ladainha do quero-quero" e "birras" em sua casa ou até mesmo no chão dos shoppings.

O marketing, ciente dessa forte influência infantil sobre os gastos dos pais, cria adereços, roupas e brinquedos cada vez mais caros, visando o lucro e incitando cada vez mais as diferenças materiais. Não tenho a menor dúvida de que o consumismo infantil deve ser revisto e desestimulado pelos pais, por familiares e pela própria escola. Com essa postura, grandes mudanças podem ocorrer no âmbito familiar e social. Sem tantos bens materiais, as crianças aprenderão que existem coisas que o dinheiro não compra e que são elas, afinal, que nos fazem felizes de fato: o amor e a generosidade com as pessoas, com os animais e com a natureza.

Na esfera social e das instituições, veremos que crianças menos consumistas se tornarão adultos mais justos e éticos frente às diferenças e às desigualdades sociais. Crianças conscientes da necessidade de preservar os recursos naturais do planeta serão adultos cientes da grandeza da vida, o que se perpetuará naqueles que vão sucedê-los.

A nova geração de crianças

Essa nova geração é denominada KGOY[15] (*Kids Growing Older Younger*), que, em tradução livre, significa "crianças que se comportam como adultos precocemente". Tal geração se caracteriza

---

15. *Consuming kids: protecting our children from the onslaught of marketing and advertising*, de Susan Linn.

pela adultização e pela aprendizagem mais precoce, especialmente em decorrência do excesso de informações disponibilizadas pela internet.

Não podemos comparar a infância de hoje com a de vinte ou trinta anos atrás; as transformações do mundo atual nos trouxeram uma realidade com forte influência tecnológica. Essa é a primeira geração que nasce com smartphones, tablets e acesso quase ilimitado aos mais diversos campos da informação.

A geração KGOY vive na "era da compressão", pois tudo acontece de maneira acelerada, intensa e acoplada a um volume enorme de inovações. Em nenhum outro tempo da história da humanidade a produção e a divulgação das informações ocorreram de forma tão veloz e compactada. E, infelizmente, é essa velocidade que faz com que tudo se torne ultrapassado rapidamente.

Nesse universo de eternas novidades, a tarefa de educar os filhos, os alunos e as demais crianças com quem convivemos socialmente se torna uma batalha árdua e constante.

De fato, estabelecer valores éticos e padrões comportamentais para as crianças de hoje (especialmente as de até oito anos) demanda uma postura incansável de se autoconhecer e conhecer os outros ao nosso redor. Afinal, nós, adultos, também estamos sujeitos a toda gama de artimanhas do marketing e temos que discernir por nós e por elas. Não podemos esquecer que, apesar de essa nova geração se comportar como "adultos consumidores", o cérebro dessas crianças é infantil e, como tal, incapaz de estabelecer escolhas racionalmente adequadas. Dar limites aos filhos talvez seja uma das mais corajosas maneiras de amá-los. Aprender a lidar com as frustrações é essencial para o pleno desenvolvimento psicológico das crianças.

Gostaria de atentar para um aspecto que, no meu entender, não diminui a responsabilidade dos pais e/ou familiares; ao contrário, revela que, sem uma postura coletiva da sociedade sobre sua cultura consumista, não poderemos avançar de fato rumo à construção de adultos mais conscientes, livres e altruístas, formando uma cidadania de fato e de direito.

Em tempos de redes sociais, temos que utilizá-las para protestar contra os aspectos abusivos, antiéticos ou apelativos de certas propagandas, especialmente aquelas direcionadas ao público infantil. E devemos fazer isso com a convicção de que o marketing se utiliza de todo o saber sobre o comportamento infantil e o ávido cérebro das crianças com o propósito de vender mais produtos, e nunca com o objetivo de tornar a vida delas melhor.

A própria geração KGOY é um exemplo claro da forma da cultura consumista que, ao imprimir velocidade em nossos hábitos de consumo, cria produtos datados que serão descartáveis em pouco tempo para que novos lançamentos sejam adquiridos. A roda do consumo acelera o tempo.

A adultização das crianças reflete esse fenômeno de maneira lamentável. A geração KGOY tem nos mostrado que a infância também se transformou em um produto muito rentável para o mercado. Somente o tempo nos dirá como serão os adultos dessa nova geração de consumidores vorazes, que consomem a própria infância e as etapas essenciais para um bom desenvolvimento físico e psicológico. Amadurecer é um processo complexo e lento, e "adulterar" a fórmula da vida pode trazer consequências inimagináveis, para o bem ou para o mal.

Meu otimismo incurável me aponta para uma grande saturação desse sistema. Os KGOYs talvez sofram muito como adultos materialmente exaustos de tantas novidades e, justamente por isso, possam ser os primeiros a iniciar uma nova era: a do capital espiritual, na qual o que estará em alta serão nossos atributos "incompráveis" – aqueles adquiridos no exercício do amor incondicional a si e a todos os seres do planeta.

Para que possamos enfrentar os desafios de viver em uma sociedade de mercado, na qual nossos desejos são constantemente manipulados para o consumo desenfreado, precisamos entender como nosso cérebro é capaz de nos induzir e nos influenciar na hora de escolhermos o que consumir.

7
ENTENDENDO COMO O CÉREBRO FAZ SUAS ESCOLHAS OU TOMA SUAS DECISÕES

Viver é ter que escolher o tempo todo.

De forma consciente ou não, todos os dias fazemos pequenas e até grandes escolhas, desde a cor da roupa que usaremos até o curso de pós-graduação que poderá determinar uma futura mudança profissional. Mesmo que você opte por não tomar nenhuma decisão frente a uma dúvida ou um conflito, a sua postura de neutralidade já se constitui, por si própria, uma escolha diante do impasse.

E mais: escolher é uma condição humana que determina quem somos e quem seremos no futuro. As escolhas só não podem mudar o passado, mas certamente determinaram os fatos já ocorridos e plantaram as sementes que estamos colhendo no presente e que colheremos no futuro.

Há quem diga que "somos as escolhas que fazemos". E, quando o assunto é escolher, não adianta tentar fugir ou se esconder da vida: ela sempre dá um jeito de nos fazer, mais cedo ou mais tarde, responder por nossos acertos e erros. Escolhas e/ou decisões fazem parte da vivência humana, e estamos fadados a isso; só nos resta aceitar o fato.

No entanto, como seres racionais, tendemos a nos inquietar e a questionar aquilo que não entendemos. Todos nós temos um pouco de São Tomé, por isso precisamos ver (ou compreender) para crer. Confesso que foi, em grande parte, um questionamento sobre a condição humana que me fez, desde muito cedo, ter esse fascínio pelo comportamento humano, incluindo tanto seus aspectos mais doces e afetivos como suas facetas mais sombrias. Muitas vezes, acumulamos informações e as transformamos em conhecimento, e isso nos traz um profundo bem-estar. Saber o porquê das coisas é algo encantador, e, para algumas pessoas – e me incluo entre elas –, pode ter um efeito tão intensamente prazeroso que poderíamos dizer que o saber pode virar um "vício"... do bem, é claro! Brincadeiras à parte, vamos chegar ao que interessa de fato, o senhor de nossas identidades e da nossa maneira de ser e viver: o cérebro.

Saber como o nosso cérebro processa nossos pensamentos, percepções, emoções, lembranças, afetos, vontades, desejos é a chave para entendermos quem somos, quais são as nossas potencialidades, os nossos talentos e as nossas fragilidades. Nosso cérebro possui um funcionamento básico que, de certa forma, é compartilhado por todos os seres humanos: o circuito do medo/estresse, que visa nos proteger dos perigos; o sistema de recompensa, que nos faz buscar satisfação; o centro da respiração e da circulação sanguínea, e assim por diante. São partes comuns a todos nós que garantem a nossa existência física sem que tenhamos que pensar o tempo todo nisso. Contudo, existem áreas em nosso cérebro que só dizem respeito a cada indivíduo. Essas diferenças pessoais estão relacionadas à maneira única com que cada um de nós sente, pensa, vive e aprende. Por isso somos todos muito parecidos e, ao mesmo tempo, únicos.

Para que possamos enfrentar os desafios de viver em uma sociedade de mercado, na qual nossos desejos são constantemente manipulados para o consumo desenfreado, precisamos, no mínimo, entender como nosso cérebro é capaz de nos induzir e nos influenciar na hora de escolhermos o que consumir. Somente dessa forma poderemos almejar a verdadeira liberdade de comprar aquilo de que realmente necessitamos ou que satisfaz nosso desejo mais íntimo, independentemente do valor, da marca ou do status social que um produto agrega ou representa.

As inúmeras facetas do cérebro no longo processo do aprendizado

Escolher um simples presente para quem você gosta pode virar um grande dilema, o que faz com que algumas pessoas percam horas e horas nos corredores de um shopping. Isso acontece porque, ao fazer uma escolha, o cérebro não consegue ser totalmente racional. Na prática, precisamos das emoções para tomar nossas decisões. O neurologista português António R. Damásio, no seu livro O erro de Descartes, descreve muito bem essa necessidade e conclui que as melhores escolhas são, na verdade, as realizadas em parceria com nosso cérebro emocional.

O aprendizado tem um caráter associativo, ou seja, tudo o que fazemos está vinculado a uma emoção e, consequentemente, a um sentimento e a um pensamento. Boas experiências trazem boas memórias, enquanto más experiências trazem más memórias, registradas no cérebro como experiências não desejáveis. Esse mecanismo existe para que o nosso cérebro possa aprender a evitar a reprodução das situações que geram sentimentos desagradáveis.

Podemos fazer uma analogia com o fogo: só aprendemos que ele queima depois que tentamos tocá-lo e sentimos dor. Quando isso ocorre, o estímulo da dor é levado ao cérebro, que logo percebe que aquilo não é bom, e assim retiramos a mão imediatamente do fogo. Após essa primeira experiência, todas as vezes que nos deparamos com algo quente, nosso cérebro associa o objeto àquela dor sentida, informando algo como: "cuidado", "queima", "dói", "não coloque a mão aí!".

Evolutivamente, podemos entender também por que experiências ruins ou desagradáveis marcam mais que as boas. No mundo mais primitivo, certas experiências negativas, se repetidas, poderiam ter colocado em risco a perpetuação da nossa própria espécie. Por exemplo, enfrentar sozinho e desarmado um tigre raivoso. Em outras palavras, o cérebro foi preparado para que aprendêssemos com os erros passados.

Outra característica do cérebro é que ele consolida o aprendizado muito mais pela prática que pela simples teoria. E isso ocorre porque, quanto maior o número de sentidos ou sensações (olfato, visão, paladar, audição, tato) for acionado no processo de aprendizado, mais "caminhos" o cérebro abrirá para fortalecer o conhecimento. Em outras palavras: é praticando que se aprende.

Um exemplo simples é andar de bicicleta ou dirigir um carro. Quando comecei a dirigir, achei que fosse uma tarefa muito difícil, devido às múltiplas coisas que precisavam ser feitas ao mesmo tempo. Pisar no acelerador, na embreagem, no freio, mudar a marcha, tantas ruas e lugares para lembrar etc. Ledo engano: em poucos meses, dirigir para mim já era algo automático!

Quanto mais "estradas das informações" são abertas no cérebro, mais facilmente somos conduzidos ao aprendizado. Além disso, mais acesso temos às informações e mais rapidamente conseguimos acioná-las de forma automática. É como se fosse uma grande rodovia com um fluxo enorme de carros indo para lá e para cá sem sinais nem paradas. A consolidação da memória ocorre da mesma maneira que a do conhecimento. Por exemplo, pense em uma maçã. Qual a primeira coisa que lhe vem à cabeça? Vermelho? E depois? Fruta, doce, comida, gostoso, mordida, coração...

e assim, sucessivamente, vamos fazendo associações da maçã e da cor vermelha, que abrem caminhos no universo do conhecimento cerebral.

O esquema abaixo ilustra, de maneira bem didática, essas associações de derivações:

Elaborado por Ana Beatriz Barbosa Silva e Lya Ximenez

Mentes consumistas

As imagens interconectadas na ilustração representam a qualidade dos objetos percebidos através dos nossos sentidos e mutuamente interligados entre si, por meio de seu significado e associações. Dessa forma, cria-se uma verdadeira rede ou teia de informações em nosso espaço mental. Uma simples maçã pode lembrar o desenho da Branca de Neve ou de alguém de quem gostamos muito, como também pode despertar a vontade de comer carne, de assistir a um filme de vampiros ou até mesmo de ouvir um rock, por uma associação com a cor vermelha de carne ou sangue, ou por associar o som da mordida a música, que lembra vampiro.

Todas essas associações são feitas em questões de milésimos de segundo, e a grande maioria delas não é percebida de maneira consciente. Nosso conhecimento é uma rede de informações interligadas através de seus significados, percepções e sentimentos. Na infância, tudo o que aprendíamos também era de forma associativa. Concluindo: nosso conhecimento é composto por uma rede multidimensional de informações interligadas.

As primeiras impressões são as que ficam: o poder de aprendizado do cérebro infantil

Quem tem filhos ou contato com crianças pequenas percebe, de maneira bem interessante, esse exercício de aprendizado tão característico do cérebro. A partir de um ano e meio a dois anos de idade, cada letra, cada significado conquistado é uma alegria. Durante a alfabetização, as crianças são apresentadas às letras do alfabeto, de forma a associar suas respectivas grafias aos sons e aos objetos comuns a cada letra: A de abacate, B de bola, C de casa.

Quando ensinamos palavras, devemos associar a elas diversos elementos: seu som (ouvido e falado), seus símbolos gráficos, sua imagem, sua cor, seu significado, sua utilidade, seu cheiro, entre outras características marcantes. Por exemplo, um elefante é um animal grande e cinza, tem quatro patas, vive na selva, é forte, come plantas, bebe água. Elefante começa com E, como ema, estante, escola etc. Quando as crianças virem um elefante no zoológico, em filmes ou livros, suas memórias relacionarão uma coisa à outra e acrescentarão novos sentimentos a essa experiência.

O aprendizado que as crianças adquirem nos primeiros anos de vida tende a ocorrer de maneira bem intensa, marcada (tal qual uma tatuagem cerebral) e bastante veloz. Isso porque o cérebro delas está ávido por explorar o novo e o universo ao redor.

Durante essa fase de desenvolvimento da linguagem, não podemos esquecer outros elementos que são repassados a elas, como os personagens de desenhos animados, que costumam ser utilizados como ferramentas de marketing infantil. Como tais personagens estão presentes nessa etapa marcante do aprendizado das crianças, eles ficarão "impressos" definitivamente na memória delas. E quando elas chegarem à fase adulta, tais imagens acionarão, com frequência, sentimentos daquela época, mesmo que isso não seja percebido de maneira consciente.

Consciente ou inconsciente: eis a questão

O cérebro é um órgão inteligente por si só, pois funciona independente da nossa vontade – tanto nas funções fisiológicas (batimentos cardíacos, frequência respiratória etc.) quanto nos pensamentos – e é justamente por isso que ele é capaz de nos manipular e nos enganar para conseguir o que julga mais adequado no momento. Por exemplo, quando estamos ansiosos, muitas vezes sentimos mais vontade de comer. Mas, se já estamos satisfeitos, por que cargas-d'água o nosso cérebro pediria mais comida? Simples: distração e recompensa. Ele está tenso por alguma razão, mesmo que naquele momento não possamos perceber, de maneira consciente, o motivo pelo qual ele procura se distrair e aliviar o mal-estar.

Quando comemos, desviamos a atenção do nosso cérebro para outros estímulos: o cheiro, o paladar, o ato de comer, a sensação de plenitude, a digestão, entre outros. A recompensa é dada pelo fato de realizarmos com facilidade aquilo que desejamos, trazendo-nos, assim, uma sensação agradável – a de comer. A vontade de comer sem ter fome é uma forma que o cérebro tem de nos sinalizar que algo está errado.

Mesmo de maneira não consciente, as associações e as conexões geradas pelo cérebro são capazes de nos influenciar o tempo todo. Se recorrermos ao exemplo da figura anterior, podemos ter uma ideia do poder da influência dessas conexões. É claro que essas associações ocorrem de forma distinta e individualizada, ou seja, você, eu e todas as pessoas associamos e conectamos o mesmo objeto a situações totalmente diferenciadas, pois cada um de nós deriva os pensamentos de acordo com a biologia, o conhecimento, o meio em que estamos inseridos e o momento. Além disso, as associações do nosso cérebro, em sua grande maioria, não estão sob o nosso controle e, portanto, são feitas de maneira involuntária. Assim, podemos constatar que a influência do conhecimento não consciente exerce um poder determinante para as tomadas de decisão e nossas escolhas diárias.

Comprar: um ato sem muita lógica

Se fôssemos comprar qualquer coisa pela lógica (apenas racionalmente), só compraríamos o que de fato é necessário. Mas, infelizmente, no momento de escolher o que comprar, o cérebro recebe influências de todo o nosso saber não consciente (percepções e sentimentos), e o marketing, que entende cada vez mais nosso funcionamento cerebral, se vale justamente disso. Para nós, muitas vezes, isso não faz diferença, mas para os profissionais de publicidade é primordial. Outra maneira de o marketing nos influenciar sem percebermos é por meio de suas analogias, que nos fazem resgatar prazeres vivenciados, imaginados/idealizados, ou apenas através dos sentidos: música, cheiro, sensações, memória, cores e imagens fortes, como visto anteriormente.

Desejo, fantasia e imaginação

Ao saber como aprendemos e tomamos decisões, fica mais fácil entender por que certos produtos anunciados em diversos veículos de comunicação (em especial em televisão) se transformam tão rapidamente em um sucesso de vendas. Primeiramente, temos que saber que todo produto ou serviço vendido vem associado a várias características, da mesma maneira que os objetos são armazenados na memória. Tudo tem alguma conotação sentimental, e é por esse meio que o marketing tenta nos fisgar. Ele não vende só o produto, mas tudo o que supostamente está associado a ele.

O dia está claro e seco, perfeito para um passeio. Um desejo de subir as montanhas surge; você precisa subir forte, potente, com convicção e sentir a conquista no final. O caminho já é uma recompensa: você sente uma brisa gelada da natureza misturada com um toque de nuvem. Você não titubeia: continua subindo com orgulho e obstinação. A vista é deslumbrante, e você pensa que certas coisas têm um valor imensurável. Continua subindo uma ladeira sinuosa e perigosa, mas sobe com estilo. No topo, um sentimento de conquista, de admiração, de poder. No topo, você está ao lado do seu carro, que fez tudo isso ser possível!

Vamos prestar atenção em que tipo de sentimentos evocamos ao ler e imaginar tal cena. Esqueça o objetivo final; mergulhe nas palavras e nos sentimentos sem tentar controlá-los ou indagá-los, apenas faça o papel de observador. Descrevo o que senti: uma sensação de bem-estar, e me imaginei em um dia ensolarado, daqueles que a gente fica torcendo para não furar o programa. A palavra "montanha" me remete ao friozinho, a cheiro de natureza, belas paisagens, bons momentos contemplativos, desafios e, apesar do esforço, a um sentimento de superação capaz de alcançar qualquer coisa. Ao mesmo tempo, vêm a nostalgia de momentos agradáveis vividos e uma conexão profunda com o planeta e toda a sua grandiosidade. Finalmente cheguei ao lugar tão esperado, e um estado de êxtase toma conta do meu ser; sinto a adrenalina e o sangue pulsando em minhas veias: uma sensação de conquista e realização.

Se alguém já fez passeios às montanhas ou à serra, identifica-se com esses sentimentos e percebe como as imagens são capazes de acionar memórias agradáveis, mesmo sem se dar conta de que o responsável por todas essas associações é o carro do anúncio. Nosso cérebro, ao ver o carro naquele cenário, automaticamente faz uma conexão com os momentos já vivenciados (ou imaginados) de forma prazerosa. Assim, quando você se depara com aquele carrão na vitrine ou na rua, imediatamente pensa: "Gostaria de ter um carro desse e fazer um passeio como aquele!".

Existem diversas propagandas similares a essa, todas com o mesmo apelo: sensação de bem-estar, satisfação, liberdade, segurança, mais lazer... Pois bem, propagandas vendem sentimentos e sonhos, não apenas produtos, mas, na realidade, tais produtos vêm sozinhos; o resto é induzido por elas e comprado por nós.

Diariamente sofremos um bombardeio de informações de propagandas vindas de todos os lados e nem sequer nos damos conta do quanto isso ocorre. Significa que o nosso cérebro vê, reconhece, mas aquilo não é conscientemente registrado porque consideramos a informação supérflua.

Nas embalagens dos produtos geralmente aparecem palavras-chave para chamar a nossa atenção e satisfazer a nossa vontade. Prometem benefícios, dos quais nem temos como nos certificar de sua real eficácia. Diversas informações nos rótulos dos produtos são omitidas ou há até mesmo inverdades sobre o conteúdo.

O fato é que há muita coisa omitida em relação ao que está no mercado, e, provavelmente, se tivéssemos acesso a informações, não consumiríamos a maioria dos alimentos que já fazem parte do nosso dia a dia.

De certa maneira, aceitamos como verdadeira grande parte das informações divulgadas pelos fabricantes e, assim, alimentamos o nosso lado caçador de ilusões.

Nosso cérebro sempre quer novos desafios, e, para isso, o marketing investirá no sequestro afetivo de nossas emoções mais camufladas.

8
VOCÊ SONHA, NÓS REALIZAMOS!
Neuromarketing: uma visão mais detalhada

Todo ser humano guarda em si o dom de sonhar. Talvez essa capacidade de criar realidades inexistentes seja a maior e mais fascinante característica do nosso cérebro.

Os sonhos têm o poder mágico de nos impulsionar rumo a caminhos novos, eles desafiam nossas limitações, dão sentido às vidas banais e nos alimentam com o doce sabor da esperança. Sem o poder de sonhar e a determinação de realizar esses sonhos, muitos dos avanços tecnológicos ainda estariam restritos ao território de seus criadores.

Sempre me questionei de onde os sonhos vêm, onde eles repousam e esperam pelo momento certo para tomar nossa mente com cores, construções, personagens, objetos conhecidos ou totalmente novos, paisagens, aromas, sensações... Até hoje não tive respostas para tais perguntas, mas acredito cada vez mais no poder da criação que os sonhos são capazes de nos despertar. Existem sonhos que valem ou justificam toda uma existência, e, mesmo não realizados por seu idealizador primário, contagiam e influenciam gerações futuras. As descobertas científicas são uma prova cabal dessa capacidade contagiante de determinados sonhos. Na minha percepção, os sonhos são criações híbridas do cérebro: possuem componentes conscientes e subconscientes, e talvez conexões sobre as quais não possuímos nenhum tipo de conhecimento.

Por que compramos?

Por prazer, necessidade, lazer, passatempo, extravagância, materialismo? Recentemente, muitos estudos se voltaram para desvendar os mistérios da mente consumista, mas, sendo bem sucinta, posso afirmar que tudo se resume à *recompensa*. Não me refiro à recompensa de uma forma leviana, como mero luxo, mas em nível cerebral, como um sistema de recompensa que basicamente nos motiva a fazer tudo o que fazemos: desde levantar pela manhã até escovar os dentes. Por meio desses estudos, observou-se que algumas coisas nos recompensam mais que outras. Porém isso não é uma constatação do cérebro consciente em seu conceito mais amplo, mas, sim, de um cérebro primitivo (automático) e que independe do nosso controle, como as batidas do coração.

O cérebro é um órgão como qualquer outro: pulmão, intestino, fígado. Se observarmos outros órgãos de nosso corpo, constataremos que eles são bem independentes, funcionam involuntariamente e desempenham seus papéis fisiológicos. O sistema nervoso central (SNC) também tem um papel fisiológico "automático" e, como tal, não depende da nossa vontade. Em outras palavras, o cérebro tem vida própria, e somos constantemente persuadidos a suprir seus desejos, muitas vezes sem nos darmos conta disso. Um bom exemplo foi o resultado de um estudo realizado na Inglaterra, descrito no livro A *lógica do consumo*, de Martin Lindstrom. O objetivo da pesquisa era avaliar o impacto das diferentes campanhas antifumo no cérebro dos fumantes, que vão desde simples advertências e frases alarmantes até imagens chocantes dos males provocados pelo uso contínuo do cigarro (pulmão canceroso, pé gangrenoso, impotência sexual) presentes no verso das embalagens. Apesar de a maioria dos fumantes afirmar categoricamente que tudo aquilo era impactante, surpreendentemente, as pesquisas de neuroimagem funcional mostraram o oposto: essas campanhas com logomarca, imagens e explicações não causam efeito nenhum sobre a vontade de fumar. De forma inversa, qualquer coisa que faça alusão ao fumo, seja ela positiva ou negativa, estimula o ato de fumar no cérebro dos fumantes.

A explicação disso é simples: faça um teste e, por alguns segundos, não pense num elefante azul. Percebeu o quanto é difícil? Isso ocorre porque o cérebro inicialmente não entende esse "não"; quem compreende é o nosso cérebro racional (razão). O nosso cérebro independente e selvagem por natureza (primitivo) tem vida própria, e, quando se menciona "elefante azul", como no exemplo, automaticamente seu símbolo visual ocupa a nossa mente.

Quando não se tem um elo emocional com determinado objeto, fica fácil ser racional nas tomadas de decisão. Por esse motivo, as campanhas antifumo não surtiram o efeito esperado nos fumantes, já que eles apresentam um vínculo emocional muito forte com o cigarro. No entanto, no grupo constituído por pessoas não fumantes, esse tipo de publicidade causou aversão. E o motivo não é ignorância ou desdém à saúde: é simplesmente porque o nosso cérebro instintivo entende de maneira diferente de nossa razão.

A mente racional, ao mesmo tempo que interpreta o significado do que está escrito ou simbolizado, não consegue impedir que o cérebro instintivo faça suas próprias inferências. Além disso, foi observado que a grande maioria das pessoas prefere uma recompensa imediata em vez de pré-datada, mesmo que isso signifique ganhar menos no final. O sistema de recompensa é tão poderoso que pode ser comparado a um grande ditador, que manda e desmanda em muitas das nossas escolhas e ações. Para que possamos reduzir a tirania desse sistema, precisamos entendê-lo em todos os seus aspectos e exercitar muito a nossa razão (ou cognição) a fim de dominar nossos instintos mais primitivos.

Todas as coisas ou situações que nos despertam algum tipo de anseio ou expectativa acionam o sistema de recompensa do cérebro – quanto mais expectativa, mais satisfação e prazer sentimos. Por isso, observamos o caráter extremamente ansioso dos pacientes que apresentam compulsão por compras. As expectativas são extremamente pessoais, variando de pessoa para pessoa, de acordo com seus sonhos, desejos e vontades. Há desejos comuns entre os indivíduos, como querer ter filhos, uma família, um companheiro ou companheira, saúde, paz, casa própria, estabilidade financeira, entre tantos. E é justamente por meio desses sonhos que as empresas de marketing montam suas estratégias de atuação.

O nosso cérebro possui células chamadas neurônios-espelho, que, entre tantas atribuições, são responsáveis pela nossa capacidade de reproduzir ou imitar o comportamento de outras pessoas. É graças aos neurônios-espelho que, ao assistirmos a um comercial, automaticamente nos colocamos no lugar daquelas pessoas. Assim, quando vemos modelos sexy vestindo jeans num comercial, nos imaginamos tão sexy quanto elas. O mesmo ocorre quando assistimos a famílias alegres, bem-dispostas no café da manhã, entre tantas situações: automaticamente nos transportamos para aquelas vivências, despertando nossos desejos.

Truques clássicos do marketing

Antes de qualquer coisa, temos que ter em mente que o objetivo final de toda estratégia de marketing é aumentar as vendas de determinado produto. Um comercial popular, mesmo que o indivíduo se lembre do jingle, da cena ou do ator, não quer dizer necessariamente que está divulgando a marca e, muito menos, aumentando as vendas daquele produto. Isso ocorre porque nossa mente, em 85% do tempo, funciona no "piloto automático", isto é, várias situações não são percebidas de forma consciente.

O marketing possui estratégias específicas para nos atingir como consumidores – muitas delas bem evidentes, entre as quais podemos citar as conexões com a infância, os animais fofinhos, a sensualidade, a beleza, o poder, a superstição, os sonhos. O marketing, que antes era feito por meio de rádio, jornais, folhetos, cartazes, comerciais de televisão e anúncios em revistas, hoje conta com uma nova rede de comunicação: a internet, que inclui o uso de e-mails, blogs, sites e grupos sociais para divulgação, além da nova moda de usar produtos de marca como acessórios cenográficos de filmes, seriados e novelas.

Estratégias visuais

Quem nunca teve a atenção despertada por palavras em rótulos, embalagens ou até comerciais: "Novo! 50% de desconto! Leve 3, pague 2! Grátis! Últimos dias! Edição Limitada!". Sejamos sinceros: sempre damos pelo menos uma conferida só para saber do que se trata. Afinal de contas, somos curiosos por natureza, e pode ser que estejamos deixando passar algo realmente imperdível ou incrível. Essa é uma estratégia que quase todas as marcas utilizam e que costuma dar bons resultados por algum tempo. Além disso, somos impulsivos também: temos que tomar decisões rápidas no dia a dia, e 50% de nossas escolhas são feitas de maneira espontânea. Outra estratégia que funciona é o tal "99 centavos" no preço do produto: muitas pessoas caem nessa cilada, iludidas de que estão comprando um produto mais barato que o seu valor real.

No que diz respeito a apelos visuais, não posso deixar de comentar sobre a importância das cores. Os profissionais de marketing sabem que as fortes, como o vermelho e o amarelo, chamam mais a nossa atenção que outras, e existe uma explicação evolutiva para isso: quando ainda éramos primitivos e colhíamos os alimentos das árvores, sabíamos que vermelho e amarelo, na maioria das vezes, indicavam que um fruto estava maduro e pronto para ser saboreado. Isso evolutivamente se refletiu na adaptação da nossa visão e na nossa capacidade seletiva para cores mais quentes. Não é por acaso que elas realmente chamam a nossa atenção e despertam nossos desejos básicos e secretos.

As marcas da nossa infância querida

Quem não se lembra do clássico poema de Casimiro de Abreu que começa assim: "Oh! que saudades que tenho da aurora da minha vida, da minha infância querida, que os anos não trazem mais!"? Muitas coisas nos remetem à infância por meio dos nossos sentidos: o cafuné da mamãe que não há igual no mundo (tato), o cheirinho de talco (olfato), as cantigas de ninar (audição), a geleia de mocotó (paladar), o palhaço Bozo, os desenhos do Mickey, Pato Donald e companhia (visão). Tudo isso já está carimbado em nosso cérebro, conectado às emoções daquela época. O artifício de usar elementos que lembrem a infância em propagandas é bem antigo e visa fazer uma associação emocional do produto com um sentimento saudosista de quando éramos crianças. Um comercial de que muitos devem se lembrar é o da

Faber-Castell com a música "Aquarela", de Toquinho, ao fundo: "Numa folha qualquer eu desenho um sol amarelo, e com cinco ou seis retas é fácil fazer um castelo...". O comercial ilustra a letra da música com lápis coloridos; simplesmente lindo!

Carinhas de bebês: simplesmente irresistíveis!

Quem poderá negar que comerciais com carinhas de bebês ou crianças nos fazem comprar quase tudo? A Parmalat há alguns anos fez uma campanha memorável com os pequenos vestidos de bichinhos de pelúcia que fez muito sucesso, deu um *boom* em suas vendas e é lembrada até hoje. Outro comercial que ficou bem conhecido é o do xampu Johnson & Johnson, com criancinhas engraçadinhas no banho dançando e cantando: "Gostooosoo pra chuchu, chuá chuáaaa...". Sem dúvida alguma, ambas são campanhas sedutoras e muito eficazes!

Sonho meu, sonho meu....

Mencionei, no início do capítulo, que os nossos sonhos podem nos impulsionar a viver e, consequentemente, a fazer escolhas na tentativa de realizá-los. Em nossa imaginação, sempre desejamos ter o melhor corpo, cabelo, carro, as melhores férias, as melhores roupas... Costumamos devanear, o que nos motiva a comprar muitas coisas na busca da satisfação do nosso imaginário. Este é o principal alvo do marketing: despertar em nós o desejo de algo que muitas vezes nem sequer conhecemos e plantar sementes do que poderíamos *ser* ou *ter*. Mas de que maneira um comercial pode provocar isso? Novamente a explicação está em nossos neurônios-espelho.

A neurociência evidencia que, ao observarmos uma modelo em um comercial, por exemplo, automaticamente nos colocamos no lugar dela e sentimos uma pitada do que deve ser uma pessoa bonita e poderosa. Se ela está usando um belo vestido, que destaca suas curvas capazes de atrair olhares indiscretos, buscamos a mesma roupa num shopping, a fim de nos tornarmos tão atraentes quanto a modelo. Acreditamos, instintivamente, que o vestido de fato pode nos conferir esse poder que tanto almejamos. E, assim, podemos pensar em milhares de sentimentos que os comerciais e as campanhas publicitárias são capazes de despertar no nosso imaginário.

As campanhas publicitárias da MasterCard se popularizaram pela sua originalidade: "Existem coisas que o dinheiro não compra. Para todas as outras existe MasterCard". Essa linha de propagandas "Não tem preço" teve o simples objetivo de mexer com a nossa emoção e, assim, de forma quase sutil, estimular o uso do cartão de crédito na concretização de nossos sonhos. De fato as campanhas foram bastante eficazes, caíram no gosto popular, tornaram-se um sucesso mundial e alavancaram substancialmente o uso do cartão. Passamos a acreditar que o consumo pode nos ajudar não só a realizar nossos sonhos de consumo, mas também fornecer as bases para vivenciar tudo aquilo que o dinheiro não compra.

Espelho, espelho meu, existe alguém mais belo do que eu?

No embalo dos sonhos, vamos fazer um gancho sobre a beleza, o poder e o status: os elementos-chave da venda dos produtos. É só observarmos as propagandas de carros, perfumes, cosméticos, roupas, eletrodomésticos, viagens, eletrônicos, bebidas, bancos etc.: todas elas têm apelos que nos fazem sentir especiais de alguma forma – o banco que nos trata como clientes vips, o perfume que é capaz de nos tornar pessoas extremamente sedutoras, os carros que nos fazem sentir glamourosos, a maquiagem e as roupas que nos dão um novo look a ponto de qualquer um virar o pescoço... É como se esses objetos tivessem o poder mágico de nos transformar de uma hora para outra. Mas, se não estivermos atentos, eles realmente podem nos transformar em pessoas arrogantes e vaidosas. Não vou negar que muitas pessoas nos perceberão diferentes, mas será que queremos ser atraentes apenas por nossa aparência? Infelizmente, em nossa sociedade, o status sempre esteve em voga, está se popularizando cada vez mais e ganhando importância substancial na vida da maioria de nós.

A partir do momento em que a sociedade começa a valorizar mais o *ter* que o *ser*, precisamos de um cuidado redobrado para transmitir às nossas crianças e às futuras gerações o que de fato são bens preciosos e valiosos. Dignidade, amor ao próximo, empatia, compaixão, entre tantos outros bens que "não têm preço", é o que realmente vai pautar a caminhada dos pequenos rumo à vida adulta como pessoas éticas, solidárias e responsáveis. Uma vida que tem o consumo como algo primordial em pouco tempo se mostrará vazia e sem perspectivas.

Sexo: apelação ou entretenimento?

Acredito que a maioria de nós concorda que cenas com conteúdo sexual de alguma forma chamam a nossa atenção, mas será que isso vende mesmo? A sexualização dos anúncios sempre foi motivo de polêmica, já que os limites do que é ou não permitido são cada vez mais fluidos, resultando em uma tempestade de propagandas repletas de nudez – parcial ou não – e insinuações apelativas. No entanto, o que foi observado ao longo do tempo é que, atualmente, o sexo já não vende como antes, e isso se deve à sua banalização nas relações interpessoais e nos veículos de comunicação. Algo que no passado era impactante hoje perdeu grande parte da sua força, pois nosso cérebro rapidamente se adaptou a essa nova realidade de maior liberação sexual e de corpos mais expostos.

Outro senão diz respeito a certas propagandas que chegam a causar repulsa entre as pessoas, desestimulando o consumo do produto. Por meio de estudos sobre o comportamento humano, também foi constatado que propagandas chamativas como essas não significam que o público vai se recordar da marca ou do produto anunciado. Quando existem imagens mais explícitas de cunho sexual, os homens, em especial, tendem a focar os seios ou as partes desnudas das mulheres (no Brasil, principalmente nos bumbuns), sem ao menos fixar a marca, tornando sua divulgação pouco eficiente. É claro que nem sempre esses recursos utilizados para alavancar as vendas de determinado produto são ineficazes, mas entre o público feminino isso pode ser um tiro no pé, pois, em muitas delas, por inveja ou despeito, o que se percebe é um efeito repulsivo. Além disso, para as crianças, tais anúncios são inapropriados, e a credibilidade da marca pode ficar comprometida com o uso desses artifícios.

Um exemplo de comercial que deu certo foi o da BOA, da cerveja Antártica. Apesar dos apelos por meio da sensualidade das mulheres, as vendas aumentaram, conferindo sucesso a essa abordagem. Contudo, é preciso destacar que a BOA soube utilizar os atributos femininos de forma não explícita e com uma boa dose de humor. E bom humor e bom gosto sempre atraem a nossa atenção e alegram os nossos neurônios!

Medo: a cultura do "e se"....

E se eu sofrer um acidente, *e se* minha casa pegar fogo, *e se* eu for assaltada, *e se* baterem no meu carro? Os "e se" são incontáveis, e todos, de uma forma ou outra, nos fazem ficar com a pulga atrás da orelha: "Até quanto estou testando minha sorte?". O marketing sabe explorar muito bem esse tipo de preocupação que temos em relação ao futuro e seus imprevistos. O futuro, longínquo ou não, um dia chegará, e talvez isso e a morte sejam as únicas certezas que temos nesta efêmera existência. Sendo assim, os bancos e as companhias de seguro sempre utilizam essa característica humana de temer o imprevisível para vender seus produtos e nos proporcionar segurança.

Um bom exemplo de publicidade marcante foi a da série de comerciais do Banco Bamerindus, na qual o grupo musical Os Três do Rio, com suas versões tarantela, mexicana, forró, bolero, caubói, tocam e cantam o jingle "O tempo passa, o tempo voa, e a poupança Bamerindus continua numa boa". Um clássico que perdura até hoje e sobreviveu ao próprio banco. Mais recentemente, o que ilustra literalmente esse conceito do "e se" foi o comercial da Bradesco Seguros, que usou a ideia de "vai que" alguma coisa acontece. Essa série faz com que nos identifiquemos com o imprevisto e o medo para nos precavermos de um acontecimento inesperado.

Mistério

Somos curiosos natos, e o mistério é provocante, dá um ar de suspense, nos faz pensar. Essa é mais uma característica que nos atrai tal como um inseto ao redor da lâmpada. A propaganda dos biscoitos Tostines, com a frase indagadora "Tostines vende mais porque é fresquinho ou é fresquinho porque vende mais? Qual será o segredo de Tostines?", enche-nos de curiosidade. Todo mundo curte uma charada, e saber a resposta dela antes dos outros tem um sabor especial.

Para não dar azar: três toques na madeira!

Em 2013, as sandálias Havaianas se tornaram amuletos da sorte na propaganda em que os atores Júlio Rocha, Bruno Gagliasso e Henri Castelli assistem ao jogo entre Brasil e Itália. Bruno usa um par de sandálias velhinhas para dar sorte. Porém, do outro lado do mundo, três amigos italianos assistem à mesma partida, e um deles também calça Havaianas bem gastas como amuleto. O jogo acaba empatado, mostrando que os amuletos deram sorte para ambos, além de serem sandálias que todo mundo usa.

Outra estratégia empregada pelo marketing é a exploração da cultura da superstição e das crenças transmitidas entre gerações. Mesmo que não acreditemos no poder da superstição em si, para a maioria de nós, ainda é difícil passar por debaixo da escada sem que surja uma pontinha de incômodo. O mesmo vale para espelho quebrado, gato preto, sexta-feira 13, sapatos virados, entre outros clássicos tidos como atraidores de azar. Os amuletos da sorte, ou aqueles para espantar mau-olhado, como trevo-de--quatro-folhas, ferradura, pata de coelho, figa, olho turco ou grego, são bem comuns e vendem em qualquer lugar como adornos de bolsas, chaveiros, pulseiras, gargantilhas. O mesmo se dá com as fitinhas coloridas de igrejas e santos que amarramos nos pulsos ou penduramos no retrovisor do carro, para que um pedido seja cumprido, em sinal de fé ou como forma de proteção. Se pararmos para pensar, esse tipo de crença é praticamente universal, mesmo que muitas pessoas neguem ou não se deem conta disso. Sentimos um "pertencimento coletivo", como se falássemos a mesma língua ou fôssemos da mesma família.

Aproveitando esse gancho, o sentimento de pertencimento é tão forte entre as pessoas que a indústria se utiliza dele para ditar moda. Um bom exemplo são as próprias Havaianas, que há muito tempo deixaram de ser um produto bem barato e com cores básicas para fazer parte do dia a dia das classes média e alta com estilo e graça. Depois da repaginada da marca, as Havaianas triplicaram de preço, tornaram-se mundialmente conhecidas e desejáveis, bem como populares em todas as camadas sociais. Hoje é difícil não encontrar um par de Havaianas dando charme e leveza aos "belos" e às "belas" nas calçadas mais famosas do mundo. Se você já visitou outro país e viu alguém com Havaianas nos pés, sabe bem a sensação boa que isso dá.

Filho de peixe, peixinho é

Quantas lojas, restaurantes, farmácias, prestadoras de serviço e fabricantes fazem questão de colocar nos letreiros e nos produtos as palavras "desde o ano tal"? A tradição de uma marca ou de um fabricante demonstra credibilidade aos seus clientes, pois, se está há cinquenta anos no mercado, por exemplo, deve ter seu valor – do contrário, já teria falido.

Um comercial que ressaltou a qualidade de uma marca foi o da cervejaria Bohemia. Em seu anúncio, coloca um grupo de senhores (sócios e executivos) comemorando a abertura da fábrica para visitação. Um rapaz sugere que ainda falta colocar mulheres "gostosas" nos comerciais, como fazem as outras cervejarias, mas um dos sócios logo contra-argumenta: "Quem gosta de propaganda assiste a deles, quem gosta de cerveja bebe a nossa". Ou seja, quem tem qualidade e tradição não precisa investir em persuasão; apenas em divulgação. E a marca Bohemia vai mais longe: estampa no rótulo a frase: "A primeira cerveja do Brasil, desde 1853".

Arte: criatividade nas telas e nas ruas

Um comercial bastante criativo foi o do biscoito, caramelo e chocolate Twix. A história conta a vida de um garoto que tinha um tique vocal e não parava de gritar: "Caramelo!"; quando adulto, procura um especialista e, na sala de espera, depara-se com um rapaz que tinha um problema parecido e só gritava "Biscoito!". Ambos estavam empolgados com a descoberta, quando um terceiro saiu da sala do médico e gritou "Chocolate!". Os três se abraçaram, ficaram amigos e criaram a combinação do Twix, com a qual ficaram famosos.

A criatividade e o bom gosto podem realmente fazer obras de arte nas telas, fixar a marca em nossa mente e, para quem aprecia qualidade nas propagandas, fazer com que o anúncio seja lembrado por muito tempo. O mesmo ocorre com alguns jingles históricos que marcaram época.

E o que dizer do comercial da marca Nestlé ao completar noventa anos no Brasil, em 2011? As cenas relembraram os produtos que acompanharam a infância de muitos intercaladas com imagens de aniversário de criança, famílias felizes e momentos inesquecíveis, como as vitórias da Seleção brasileira em Copas do Mundo, nossos saudosos Ayrton Senna e Tom Jobim e, ao fundo, Roberto Carlos cantando o clássico "Emoções". Tudo de um bom gosto indiscutível, capaz de arrepiar qualquer um.

A rede Hortifruti, especializada em produtos hortifrutigranjeiros, espalhou nas ruas do Rio de Janeiro, de São Paulo, Vitória e outras cidades, outdoors que contaram com muita criatividade, belos desenhos gráficos e uma boa dose de humor. Vale a pena relembrar algumas de suas frases baseadas em filmes: "A incrível rúcula", "A hortaliça rebelde", "Edward mãos de cenoura", "Melão rouge", "O coentro levou", "Chuchurek", "A outra alface", "Mulher marervilha", "O quiabo veste prada", "Berinjela indiscreta", "O pepino príncipe", "Couve-flor e seus dois maridos", "Horta de elite", "Dois milhos de Francisco". Confesso que toda vez que passo de carro por algum desses cartazes, entorto o pescoço para conseguir ler toda a propaganda. Para mim, são imbatíveis!

Jingles

"Me dá, me dá, me dá. Me dá Danoninho, Danoninho já. Me dá Danoninho, Danoninho dá, cálcio e vitamina pra gente brincar." A melodia de "O bife" foi a primeira que aprendi no piano quando criança, ainda tocando com dois dedinhos; uma música bastante popular até hoje. Na década de 1980, a Danone deu letra à melodia para anunciar o produto Danoninho, cujo slogan era "vale por um bifinho". Não há nada mais clássico e marcante que jingles: além do Danoninho e de alguns já expostos neste capítulo, muitos outros marcaram época: do Cremogema, do Biotônico Fontora e outros tops, como o da Geleia de Mocotó

Inbasa: "ôôôôôôôôôôôô, que surpresa mocotó Inbasa, a geleia que mais gosto de comer, supernutritiva é demais...". Na época foi o maior sucesso e aumentou muito as vendas do produto.

Outro jingle que virou febre nos anos 1990 foi o do Guaraná Antártica: "Pipoca na panela começa a arrebentar, pipoca com sal, que sede que dá, pipoca e guaraná que programa legal...". Ele ficou tão popular que entrou para a história dos comerciais brasileiros, como Top 10. Apesar do sucesso com o público, a propaganda não deu o resultado de vendas esperado pela Antártica, pois se esqueceram de citar a marca do produto no jingle. Por outro lado, conseguiu impulsionar o consumo dos outros concorrentes.

Truques capciosos do neuromarketing

Já conhecemos os truques mais evidentes do marketing, mas será que existe algo além disso?

Começo pelas mensagens subliminares visuais, sobre as quais confesso ter tido curiosidade graças a algumas polêmicas. Indo direto ao ponto: a verdade é que elas de fato existem, mas não como muitos as imaginam.

Essa história teve início durante a Guerra Fria, época de grande tensão entre os Estados Unidos e a antiga União Soviética. Tal período foi marcado pela corrida armamentista, na qual um país sempre tentava superar o outro não só em questões de armas, mas também em avanços e descobertas tecnológicas. No meio dessa frenética competição, surgiu a ideia de se utilizarem imagens subliminares como arma de manipulação mental. Na ocasião, foi realizada uma pesquisa nos Estados Unidos com "imagens escondidas", ou seja, várias imagens de vídeo eram passadas em milésimos de segundo ao longo de uma propaganda, e elas não deveriam ser percebidas pelo telespectador de forma consciente – mas, teoricamente, ficariam gravadas no subconsciente. Isso foi tão polêmico na época que, anos mais tarde, a Inglaterra repetiu tal estudo, mas dessa vez com um grupo bem maior de pessoas e com uma ampla variedade de imagens. Conclusão: tal achado dos Estados Unidos era mais boato que fato: esse tipo de manipulação não é capaz de induzir a opinião ou a escolha do telespectador.

Mais recentemente, a neurociência nos esclareceu que, por mais que estejamos no "piloto automático" e não tenhamos consciência de muitas coisas percebidas pelos nossos sentidos, essas imagens de milissegundo não são capazes de nos influenciar. E isso ocorre por um motivo bem simples: cada imagem é passada tão rapidamente que na verdade nem a enxergamos. Ver significa olhar, identificar e compreender, mas se as imagens não conseguem ser captadas por nossos olhos, o cérebro também não terá essa informação registrada.

É preciso ter em mente que, para qualquer tipo de informação sensorial nos estimular, primeiro temos que percebê-la, mesmo que subconscientemente. Se os nossos sentidos não captam a informação, a percepção também não ocorre.

Embora o modelo de mensagens subliminares visuais utilizado nos tempos da Guerra Fria não tenha funcionado, é claro que elas existem e estão por toda parte. Se recorrermos ao capítulo anterior, nos lembraremos das associações e conexões geradas pelo cérebro, que nos influenciam de maneira não consciente. Sabendo disso, os profissionais de marketing viram uma nova forma de chamar a atenção do consumidor. Entre os diversos recursos está a decoração dos estabelecimentos, mesmo que as logomarcas não estejam tão evidentes assim. Imagine-se numa lanchonete toda decorada de vermelho e branco: cadeiras, mesas, uniformes dos atendentes, canudos etc. De repente, bate uma vontade de beber uma Coca-Cola bem geladinha. E você se questiona: "Mas por quê, se eu não costumo beber refrigerante?". Pois bem, é só olhar em volta que você terá a resposta!

No entanto, a visão é um dos sentidos que percebemos de forma clara e imediata, só que ela não tem acesso direto às nossas emoções (sistema límbico).[16] Trocando em miúdos: ao avistarmos algo, demoramos um pouco para estabelecer vínculos emocionais com aquele objeto ou até resgatar lembranças boas. Já o olfato – e aí está o pulo do gato – é o único dos cinco sentidos que se conecta diretamente com a parte emocional do cérebro. Assim, muitas informações não são percebidas de modo consciente e, na maioria das vezes, temos uma reação emocional antes mesmo de saber a sua causa.

Um bom exemplo disso são os feromônios, substâncias "invisíveis" excretadas pelo nosso corpo, que permitem nos comunicar instintivamente com outro membro da nossa espécie. Não é por acaso que mulheres que convivem muito entre si (escola, trabalho etc.) menstruam em dias muito próximos. Também não é à toa que homens percebem as mulheres de forma diferente na época da ovulação, sem saber no fundo o porquê disso.

Através do cheiro (olfato), muitas mensagens podem ser transmitidas de forma subliminar. Assim, podemos ser influenciados (e até manipulados) para que tenhamos quaisquer sensações sem ao menos perceber, já que, na maioria das vezes, não

---

16. Conjunto de estruturas cerebrais responsável por todas as nossas percepções emocionais e que possui influência relevante na memorização dos fatos.

conseguimos relacionar o cheiro às nossas vivências anteriores de maneira consciente, apenas emocional. Por acaso você já sentiu uma saudade forte ou uma vontade de comprar algo que parece ter surgido do nada? Como será que isso foi resgatado de sua memória? Poderia muito bem ter sido de um perfume, do cheiro do mar ou de qualquer lugar, mas que você nem sequer se deu conta.

Novas tendências

A tendência do momento na área do marketing é a utilização da neurociência para descobrir o que realmente pensamos e sentimos em relação aos produtos e quais são as formas de divulgar cada um deles. Por esse motivo, o marketing tende a ser cada vez mais eficiente, invisível e sinestésico. Antes de serem lançados, os comerciais são testados, e todos os seus possíveis consumidores são analisados. Outra forma de verificar as reações do público é fazer com que ele participe da criação das propagandas. Em ambas as situações, a escolha dos melhores comerciais ou campanhas publicitárias é testada pela votação voluntária e pela avaliação da neuroimagem funcional[17] dos participantes dos estudos publicitários. Esse recurso passou a ser utilizado em pesquisas de mercado por meio da observação do comportamento humano, já que a maioria das coisas que dizemos cotidianamente não é o que de fato sentimos, e isso se reflete direto em nosso cérebro.

---

17. Exame no qual se podem observar diversas regiões cerebrais e os respectivos níveis de atividades metabólicas que cada área apresenta.

É por esse motivo que, cada vez mais, as empresas investem na neuroimagem funcional como forma de avaliar com precisão o que realmente os consumidores querem, sem subterfúgios conscientes e/ou inconscientes. Antes de investir milhões em campanhas publicitárias que incluem TV, rádio, internet, revistas e jornais, as empresas querem garantias de que seus investimentos serão compensados com o aumento real do mercado consumidor.

Com o tempo, e investindo em tecnologia, cada vez mais as associações dos sentidos (cheiro, sabor, textura, som e imagem) serão utilizadas nas propagandas. Cada produto terá o seu cheiro específico, que estará vinculado à sua imagem – o cheiro de *tutti frutti* associado à infância e seus sabores deliciosos, por exemplo. Além disso, os produtos passarão a ter uma consistência mais atrativa: poderemos também tocá-los e até ouvi-los. Num futuro muito próximo, as músicas (ou sons) e os aromas dos estabelecimentos serão selecionados de maneira cientificamente estratégica. Além disso, as propagandas serão menos óbvias, já que essa forma de anúncio está se tornando pouco popular, e as associações mais comuns são evidentes e desinteressantes. Nosso cérebro sempre quer novos desafios e, para isso, o marketing investirá no sequestro afetivo de nossas emoções mais camufladas.

A dualidade não é algo exclusivo da mente humana, mas do universo. Entraremos em conflito ainda inúmeras vezes na hora de comprar: é natural do ser humano e imprescindível à humanidade; mas até onde isso pode nos levar? Queremos ser manipulados em massa e sucumbir a tantos apelos? É direito de cada um escolher como quer viver, é claro; no entanto, espero contribuir para que possamos estar mais conscientes das influências que sofremos na hora de consumir.

Da próxima vez que você for adquirir algo, tente identificar como as lojas e as marcas procuram nos impelir a comprar aquilo de que não precisamos e/ou o que nem desejamos de fato. Pergunte-se: "Estou disposto a desafiar as armadilhas criadas para ludibriar o meu cérebro e a minha vontade?". Se a resposta for *sim*, é sinal de que existe dentro de você um ser real que pulsa por transcendência, ou seja, por ser alguém independente das coisas materiais. Um ser que sempre existiu e sempre existirá.

A física quântica aponta para o fato de que somos energia pura em eterna transformação. Dizer *sim* a esse fato é dizer *sim* à liberdade de escolher o que há de mais humano em cada um de nós. Essa liberdade não pode ser comprada, usurpada ou transferida de um indivíduo para outro; ela só pode ser cultivada e colhida no interior de nós mesmos – naquele local onde seu *eu* encontra a sua mais pura consciência. E essa vivência não tem preço, mas tem nome: felicidade do autoconhecimento e da autorrealização.

Eu digo *sim*, e você?

Uma sociedade que valoriza os indivíduos por aquilo que eles têm, e não pelo que são, faz com que todos vivam em eterna corrida maluca para alcançar um status que, ao ser atingido, já deixou de ter valor.

9
O CÉREBRO E SUA ETERNA BUSCA DO PRAZER
A origem das compulsões

Toda criança já se fez a seguinte pergunta: "Por que tudo que é bom os pais não deixam a gente fazer muito?". Você e eu também fomos crianças e certamente já nos fizemos a mesma indagação muitas vezes e sempre com uma ponta de irritação e protesto. São as eternas apelações: "Ah, mãe, por favor, só mais um pouquinho... Já vou parar, me deixa só acabar... Ah, mãe, que saco! Quando eu crescer, vou comer chocolate, jogar videogame e ficar na internet até a hora que eu quiser! Saco, saco, mil vezes saco!".

Nós crescemos e nos tornamos adultos, e as dificuldades em deixar de fazer certas coisas continuam. Mas por quê? Porque somos humanos e nosso cérebro possui dois objetivos básicos: 1) cuidar da nossa sobrevivência; 2) buscar prazer.

Com a evolução tecnológica e a produção alimentícia em escala industrial, a maioria de nós, habitantes dos centros urbanos, não precisa de grandes esforços para se alimentar ou se hidratar. Temos à nossa disposição, de forma cômoda e barata, alimentos e bebidas hipercalóricos com sabores bastante atrativos. É claro que muitos deles são pouco saudáveis, mas estão espalhados por todos os lados, prontos para o consumo. Com esse tipo de disponibilidade alimentar, nosso cérebro deixa de lado suas preocupações mais elementares e se sente livre para buscar situações que o façam sentir satisfação ou prazer – na maioria absoluta das vezes, sem critérios racionais adequados. É algo instintivo para muitos de nós, mas, para uma parcela expressiva da população, essa busca por recompensa pode ocorrer de maneira francamente disfuncional, causando sérios transtornos a esses indivíduos. Essas pessoas sofrem com o descontrole de seus impulsos na busca compulsiva por prazer. Muitos de nós já nos deparamos com amigos, familiares ou parceiros afetivos que apresentam dificuldades pessoais frente a situações que exigem um controle consciente em limitar o grau de satisfação ou de prazer.

Existem diversos tipos de compulsões: por comida, álcool, estimulantes, entorpecentes, pornografia, sexo, compras, jogos, internet. Elas também são conhecidas por "vícios". Até pouco tempo atrás, a palavra vício costumava ser utilizada para designar a dependência que determinadas pessoas apresentavam de substâncias externas, popularmente denominadas drogas. Hoje, sabemos que situações prazerosas também são capazes de viciar os indivíduos que apresentam determinados comportamentos. Dessa maneira, tanto substâncias químicas quanto certas ações ou comportamentos possuem a mesma capacidade de produzir desejos (pensamentos) obsessivos, tolerância aumentada – precisa aumentar a "dose" cada vez mais para sentir o mesmo prazer – e síndrome de abstinência. Em suma: ambos podem igualmente gerar dependência.

Para que possamos sentir prazer de forma saudável e até produtiva, existe em nosso cérebro uma região denominada *sistema de recompensa*. No entanto, quando esse sistema se mostra disfuncional, especialmente em pessoas com predisposição genética e sob situação de estresse pessoal e/ou social, o prazer sai do controle e a dependência (ou adição) tende a se instalar.

Os prazeres ditos "normais" são aqueles que chegam mansamente, tais como uma boa conversa com amigos, a degustação de uma comida diferente, a leitura de um bom livro, a audição de uma boa música, caminhadas, lembranças de momentos alegres. As sensações prazerosas geradas por nossos sentimentos diante de situações agradáveis são sempre bem-vindas e não sobrecarregam o nosso sistema de recompensa cerebral. Porém existem prazeres advindos do ambiente externo que nos colocam em risco de desenvolvermos dependências (ou vícios), uma vez que seus estímulos costumam exceder a capacidade de autocontrole do sistema cerebral de recompensa.

O que é o sistema de recompensa?

Anatomicamente falando, o sistema de recompensa, também chamado de sistema mesolímbico dopaminérgico, corresponde à área tegmental ventral (VTA)[18] e ao núcleo accumbens (veja ilustração na página 151). Essas estruturas, evolutivamente consideradas bem antigas, localizam-se na base do cérebro e se conectam a diversas regiões por meio de feixes eletrobioquímicos – moléculas químicas denominadas neurotransmissores. Tais substâncias acionam descargas elétricas que conduzem sinais e ativam outras áreas cerebrais. As mais proeminentes fontes acionadas pela região tegmental ventral e pelo núcleo accumbens são: o córtex pré-frontal, a amígdala e o hipocampo. Essas interconexões são absolutamente relevantes para a avaliação e para a modulação das sensações prazerosas, uma vez que o córtex pré-frontal se

---

18. Em inglês: *Ventral Tegmental Area*.

incumbe de filtrar e "racionalizar" o prazer; a amígdala, de dar o tom emocional da situação; e o hipocampo, de memorizar com detalhes tudo o que estiver relacionado à satisfação e à sensação em si. Tudo é muito bem estruturado e articulado para que recompensa, satisfação e/ou prazer sejam sempre lembrados, procurados e repetidos por nossos pensamentos e por nossas ações.

Quando se trata de prazer, nossa mente aciona um complexo jogo de cartas, no qual a atenção e a decisão executiva (córtex pré-frontal), a emoção (amígdala) e a memória (hipocampo) são ingredientes fundamentais para que o jogador não perca o controle da situação. A verdadeira vitória nesse jogo é não perder o controle do próprio prazer e da própria vida. O descontrole, nesse caso, significa escravidão, submissão melancólica e tirana do ser ao seu cérebro e à sua mente. Toda pessoa dependente tem sua alma (sua essência) aprisionada num corpo físico "programado" a só dizer *sim*, não à vida e a todas as suas mágicas possibilidades, mas à morte lenta e degradante de deixar de *ser* para *ter* satisfações ilusórias e imediatas a cada dia de sua curta existência.

Para uma melhor compreensão das estruturas cerebrais envolvidas no processo do sistema de recompensa e na compulsão, veja a ilustração da página seguinte.

As substâncias que atuam no sistema de recompensa

Como visto, tudo que faz o sistema de recompensa do cérebro se "descontrolar de prazer" é capaz de gerar dependência ou vício nas pessoas. A dependência pode ser gerada não apenas por substâncias externas do corpo, como drogas, mas também

ESTRUTURAS CEREBRAIS ENVOLVIDAS NO SISTEMA DE RECOMPENSA

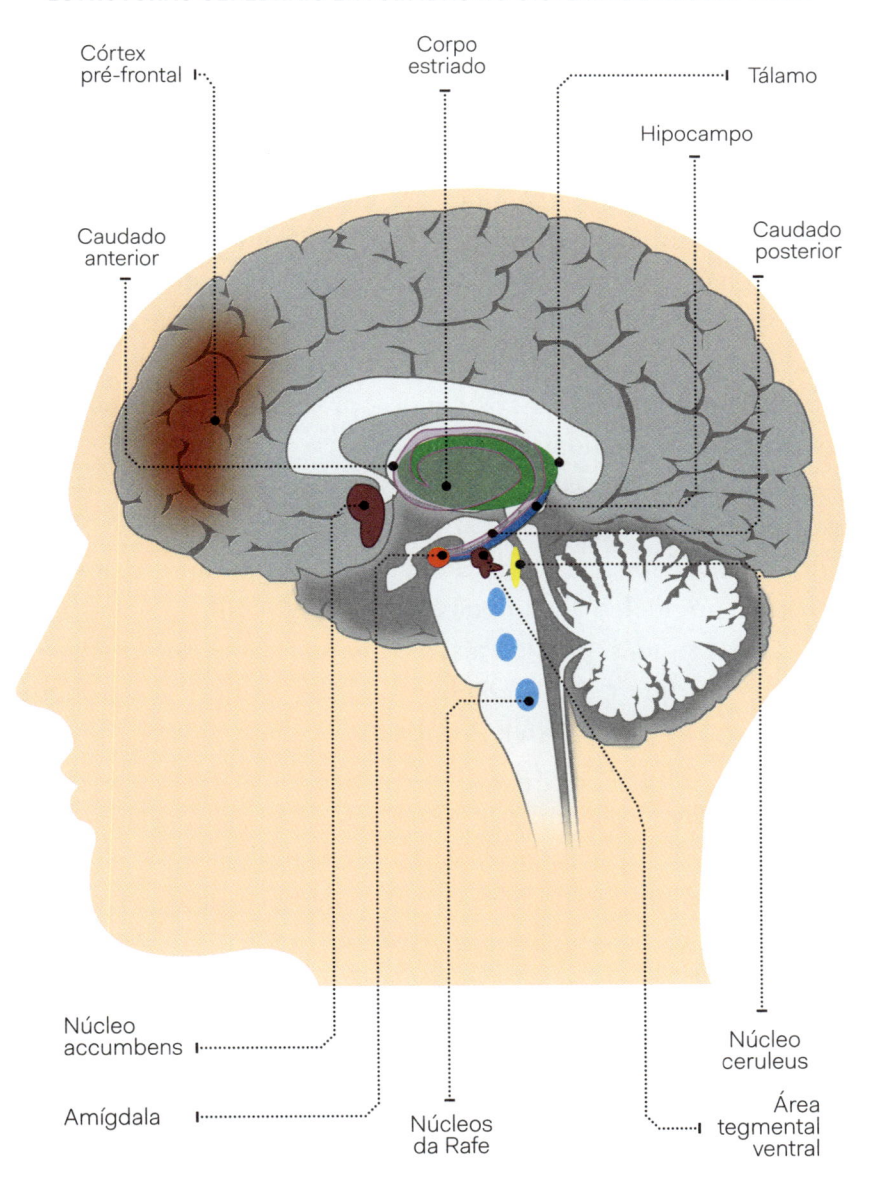

- Córtex pré-frontal
- Corpo estriado
- Tálamo
- Hipocampo
- Caudado anterior
- Caudado posterior
- Núcleo accumbens
- Núcleo ceruleus
- Amígdala
- Núcleos da Rafe
- Área tegmental ventral

Elaborado por Ana Beatriz Barbosa Silva e Lya Ximenez

por certas situações ou por comportamentos determinados. E aqui entram os jogadores, comedores ou compradores compulsivos. Indivíduos "viciados" em jogar, comer ou comprar também experimentam pensamentos obsessivos, compulsão e tolerância com suas ações; ou seja, precisam fazer "cada vez mais" para sentir o prazer que os fascinou no início. E, ao proceder dessa forma, caminham para a inevitável síndrome de abstinência quando não estão jogando, comendo ou comprando. Nessa etapa, experimentam sintomas desagradáveis, como suores, irritabilidade, insônia, angústia e muita ansiedade. E quando iniciam a batalha para se manter abstêmios, apresentarão por anos o alto risco de sofrer recaídas.

Isso tudo ocorre por conta da dopamina, substância produzida por nosso cérebro que atua como o neurotransmissor do prazer. É a dopamina que, ao ser liberada na área tegmental ventral e no núcleo accumbens, faz com que milhares de sinapses sejam ativadas, criando a sensação inebriante de prazer e/ou recompensa que deixa o cérebro totalmente "burrinho" e desejoso de mais e mais prazer. A dopamina é, sem dúvida, a estrela maior das compulsões humanas, mas outras substâncias endógenas também participam dessa "farra do prazer" – não como atrizes principais, mas como coadjuvantes importantes na estruturação e moldagem dessa história. O cérebro, ao experimentar novidades, especialmente as mais arriscadas ou difíceis, ou mesmo ao se preparar para realizar as ações que liberam dopamina, entra em um estado de estresse. Isso resulta na liberação de cortisol e de adrenalina no corpo e noradrenalina no cérebro propriamente dito. A liberação desses três componentes (cortisol, adrenalina e noradrenalina) aumenta todo o metabolismo corpóreo, os batimentos cardíacos, a circulação sanguínea e a disposição física de maneira geral.

Determinadas doses de estresse já são capazes de gerar satisfação e euforia por si sós, independente da experiência prazerosa. Esse é o motivo pelo qual as crianças gostam tanto de histórias de monstros e bruxas malvadas, e os aventureiros mais crescidinhos e corajosos adoram montanha-russa e esportes radicais, como surfe, paraquedismo, montanhismo, bungee-jump. Dessa forma, podemos entender que o estresse voluntário e previsível costuma potencializar, em muito, as situações geradoras de prazer. Pela mesma razão, fazer sexo em locais proibidos sempre tem um prazer a mais, já que existe o estresse que envolve o risco do perigo de ser pego em flagrante. O estresse "planejado" potencializa o prazer por liberar cortisol, adrenalina e noradrenalina, mas, quando se trata de vícios ou compulsões, como a compulsão por compras, observamos que esse estresse deixa de ser algo divertido ou benéfico para se tornar algo crônico, desgastante e potencializador de mais descontrole no curso natural do transtorno. Isso ocorre porque a amígdala cerebral e o hipocampo (vistos na ilustração) são estruturas repletas de receptores de cortisol e, por esse motivo, retroalimentam o estresse, causando mais ansiedade, pensamentos obsessivos e desespero à medida que o vício vai tomando conta da vida do dependente. Mais estresse, mais cortisol, mais adrenalina, mais noradrenalina e mais liberação de dopamina no sistema de recompensa, mais tolerância, mais necessidade de comprar para sentir o prazer "antigo", mais fissura, mais abstinência... um ciclo vicioso e perverso!

Para complicar mais a tragédia bioquímica que se abate no cérebro compulsivo por compras, observamos também que, com o decorrer do tempo, a serotonina (outro neurotransmissor) tende a se alterar, tornando os efeitos do estresse ainda mais prolongados, evidentes e nocivos. Essas constatações quanto ao efeito (mesmo que secundário) do cortisol, da adrenalina, da noradrenalina, da dopamina e da serotonina na dinâmica das compulsões se devem, em grande parte, aos resultados positivos que determinadas medicações de ação antiestresse (como os ansiolíticos e antidepressivos serotoninérgicos) produzem na associação terapêutica com substâncias antagonistas dopaminérgicas (em especial a naltrexona) no tratamento inicial das síndromes de abstinência. Na minha prática clínica, tais associações têm feito uma diferença decisiva na adesão ao tratamento dos pacientes que me procuram.

Toda adição por compras ocorre ao longo de um tempo, ocasionando a formação de um *continuum* que se inicia com uma compra impulsiva e excessiva, feita de maneira casual, que acaba em eventos repetitivos que dominam a vida da pessoa. Para que isso ocorra, precisa existir uma combinação desfavorável entre a genética e o ambiente familiar e social no qual o indivíduo se desenvolveu e para os quais agregou seus valores. A prática clínica de tantos anos me faz pensar que, uma vez instalado o quadro do comprar compulsivo, profundas mudanças bioquímicas ocorrem no cérebro, e toda a "arquitetura" dos caminhos sinápticos da dopamina, da adrenalina e da serotonina se mostra alterada. A abstinência, nesse caso, é a manifestação sintomática de todo o caos mental gerado.

No entanto, outros quadros clínicos também corroboram esse meu olhar, tais como a falta de motivação e prazer para as atividades gerais (ou anedonia), presença de depressão, redução expressiva da capacidade de sentir-se bem com as recompensas naturais da vida – amor romântico, humor, altruísmo social, expectativa de realizar um bom trabalho, apreciar boas músicas, leituras, filmes – e a possibilidade de recaídas, ainda que a pessoa esteja sob controle por alguns anos.

Vimos até aqui que a dopamina liberada na área tegmental ventral e no núcleo accumbens deflagra todo o processo de prazer no início da compulsão por compras, mas onde entra o córtex pré-frontal? Nos exames de neuroimagem (como o SPECT)[19] que costumo solicitar rotineiramente a meus pacientes, pude observar, nos últimos três anos, que, no caso dos *shopaholics*, esse padrão se repetia com uma frequência, no mínimo, curiosa: havia uma acentuada diminuição da atividade nos lobos parietais[20] e nos lobos frontais, especialmente no córtex pré-frontal.[21] Tais achados estavam presentes em 65% a 80% dos casos, nos quais os pensamentos obsessivos relacionados às compras eram intensos e persistentes, levando o paciente à perda do controle de seus atos mesmo sabendo dos prejuízos que tais comportamentos já haviam causado. De alguma forma, os pensamentos obsessivos iniciados na região parietal tinham atingido uma "força" tamanha que demandavam um grande esforço do lobo pré-frontal – o qual já não era capaz de analisar racionalmente a situação e indicar a melhor decisão a ser tomada. Ou seja, de comprar apenas com um planejamento rigoroso e adquirir o realmente necessário.

Achados muito semelhantes foram relatados pela neurologista e psiquiatra Nora Volkow, do Instituto Nacional dos Estados Unidos para o Abuso de Drogas. Os estudos de neuroimagens demonstraram atividade diminuída no córtex pré-frontal em

---

19. Tomografia computadorizada por emissão de fóton único. Em inglês: *Single Photon Emission Computed Tomography*.
20. Localizados no polo superior do cérebro, responsáveis pelas nossas percepções e sensações, entre outras atribuições.
21. Localizado aproximadamente na altura da testa, responsável pela parte executiva, por tomadas de decisão e planejamentos.

pacientes que possuíam algum vício e que naquele momento estivessem em abstinência, demonstrando uma redução da atividade de vias cerebrais onde naturalmente se produz a dopamina. Isso implica, na prática, dificuldades de obter prazer sem grandes estímulos, diminuição do controle de impulsos e perda da habilidade de fazer boas escolhas.

Nenhuma pesquisa, pelo menos a que eu tivesse tido acesso, relatava a diminuição da atividade nos lobos parietais, como observei em 107 pacientes compulsivos por compras que atendi nos últimos três anos. No entanto, a presença dessa alteração em pelo menos 65% dos casos me faz pensar que esse dado tem sua relevância. O lobo parietal abriga uma área denominada córtex somatossensorial, responsável pela recepção da maioria das nossas sensações advindas do ambiente externo e pela análise e interpretação dessas informações recebidas. Assim, podemos ao menos imaginar que pessoas predispostas a compulsão por compras podem apresentar uma diminuição nessas atividades, como os exames de SPECT dos meus pacientes sugeriram. Dessa forma, pessoas compulsivas por compras seriam alvos mais vulneráveis do marketing, que tende a inundar nossas percepções com o acionamento maciço de nossos sentidos (paladar, olfato, audição, textura, forma, visão). Tudo é feito para nos excitar e nos fazer comprar impulsivamente mais e mais.

Quanto ao papel do lobo pré-frontal, a concordância em 80% dos 107 casos e o relato de estudos diversos em outros tipos de compulsão sinalizam que os achados de minha prática clínica parecem apontar para o fato de que os *shopaholics* apresentam uma disfuncionalidade na tomada de suas decisões na hora de realizar suas compras.

As percepções (no lobo parietal) e as decisões (no lobo pré-frontal) disfuncionais parecem realmente ser a grande "dobradinha" trágica que faz com que os compradores compulsivos transformem sua vida em uma enorme cilada, na qual o "barato" (a sensação boa de prazer) acaba saindo muito "caro".

Tenho consciência de que os 107 casos de pacientes compulsivos por compras que atendi nesses últimos anos não se configuram em uma amostragem com importância científica. Contudo, sinto-me à vontade para relatar os fatos observados, suas correspondências clínicas e as respostas terapêuticas positivas obtidas de esquemas medicamentosos e estratégias comportamentais montadas a partir das inferências advindas desses achados. Se essas inferências serão confirmadas com o aprofundamento de estudos e pesquisas de caráter científico plenamente estruturado em diversas partes do mundo, somente o tempo poderá nos responder. Entretanto, deixar de relatar tais percepções e suas possíveis aplicações na busca por melhores resultados terapêuticos em pacientes que sofrem com seus descontroles materiais seria, a meu ver, um crime de omissão.

Não há a menor dúvida quanto à natureza multifatorial dos transtornos de comportamento e quanto ao fato de a compulsão por compras também se incluir nessa seara. Os fatores estruturais bioquímicos e disfuncionais (fatores biológicos) que vimos até aqui estão fortemente relacionados à herança genética dos pacientes com esse transtorno, e, dessa forma, referem-se diretamente ao temperamento de cada um. Já os fatores psicológicos e ambientais estão mais relacionados às vivências e ao aprendizado de cada um e têm participação expressiva na formação do caráter das pessoas. É por isso que costumamos dizer que existem personalidades (temperamento + caráter) mais predispostas a desenvolver a compulsão por compras que outras.

Os fatores psicológicos que mais influenciam a compulsão por compras costumam estar relacionados com a capacidade que cada indivíduo possui de enfrentar as adversidades vitais. A maneira como ele lida com as situações de estresse – através do aprendizado e das experiências – é a chave do sucesso do tratamento e da retomada da vida antes da compulsão. Todos estamos sujeitos aos desafios de crescimento e amadurecimento vital; no entanto, os compulsivos costumam apresentar baixa tolerância à frustração. Sendo assim, eles acionam o seu mecanismo de defesa mais conhecido: a negação ou a fuga fantasiosa de buscar prazeres imediatos, que se somam às dores inerentes do crescimento pessoal.

Famílias que costumam presentear seus filhos como alternativa a uma postura educacional responsável e comprometida com valores éticos, acabam incentivando-os a ser adultos que confundem os desafios normais da vida com um "sofrimento" que pode ser compensado com autopremiações materiais. São os adultos com o eterno discurso do "eu mereço isso, eu mereço aquilo"; são os adultos do "bônus sem ônus". Sabemos que uma boa educação não retira as pedras do caminho de ninguém, mas ensina e auxilia a quebrar ou remover aquelas necessárias.

Crianças "poupadas" em excesso se tornam adultos que veem os problemas com maior gravidade do que de fato eles têm. Resultado: maior reação de estresse frente às adversidades. Como eu disse, a própria reação de estresse aumenta o cortisol que predispõe o cérebro a liberar mais dopamina e, consequentemente, acionar o comportamento de busca de prazer. Em pessoas biologicamente predispostas ao vício, o estresse se apresenta como fator desencadeante que a leva a compras abusivas e depois ao descontrole. Já em pacientes em tratamento, o estresse pode ser o gatilho perigoso que leva às recaídas que tanto desestabilizam o paciente e seus familiares.

Os fatores ambientais mais significativos no transtorno do comprar compulsivo são, no meu entender, os valores sociais exaltados em nossa cultura consumista. Uma sociedade que valoriza os indivíduos por aquilo que eles têm, e não pelo que são, faz com que todos vivam em eterna corrida maluca para alcançar um status que, ao ser atingido, já deixou de ter valor. Tudo está destinado a ficar ultrapassado, inclusive as pessoas. O marketing, filho predileto da civilização industrial, sabe como ninguém explorar nossas peculiaridades e fraquezas, e, para isso, cria uma série de estratégias capazes de acionar de forma intensa os circuitos dos nossos sistemas de recompensa. Dessa forma, gera uma quantidade ilusória de prazeres que excedem, em muito, a capacidade desses circuitos de lidar com tudo isso.

Entender como se estrutura, deflagra e mantém um comportamento compulsivo em comprar é fundamental para que os pacientes e todos nós possamos escolher como queremos viver. E essa escolha só pode ocorrer se tivermos condições de não sucumbir às influências consumistas que visam à manipulação em massa para que compremos mais e mais, fazendo a engrenagem econômica do lucro girar eternamente. Não é por acaso que o transtorno compulsivo por compras até hoje é tão pouco estudado – afinal, consumir de forma descontrolada é ruim para quem se endivida e sofre, mas, até isso acontecer, cada paciente já deu uma enorme contribuição para que a economia de mercado mantenha seus "músculos" sempre fortes e potentes.

Viemos a este mundo despidos de qualquer bem material e, quando partirmos, levaremos somente a energia de nossa consciência.

10
UMA LUZ NO FIM DO TÚNEL
Tratamento da compulsão por compras

São tantos os fatores envolvidos na compulsão por compras que falar em "exagerada complexidade" não chega a ser um pleonasmo de minha parte. Os ingredientes presentes nessa disfuncionalidade comportamental são os mais variados possíveis; entre eles estão a herança genética (pais, avós, tios), vivências pessoais, sentimentos e emoções, valores educacionais, hábitos cotidianos e a cultura do meio social em que o indivíduo está inserido.

E por onde devemos iniciar essa longa e transcendente caminhada?

Reconhecimento e aceitação

Reconhecer um comportamento limitante ou disfuncional sempre é um desafio, especialmente quando a vida do indivíduo se confunde com o próprio vício.

Os compulsivos por compras, na maioria dos casos, tendem a manter seu transtorno em segredo por muito tempo, pois têm plena consciência de que seus pensamentos e ações relacionados ao consumo fogem de um padrão "normal". Eles sabem das consequências de seus atos, mas se deixam dominar pelo mágico alívio tensional e pelo prazer que experimentam no ato da compra. A culpa e a vergonha que sentem em relação às suas atitudes fazem com que escondam ao máximo os objetos comprados no dia a dia, bem como os problemas gerados por seus descontroles.

Esse caráter "camuflado" dos *shopaholics* faz com que a busca por ajuda especializada ocorra de diversas formas:

1) Eles são levados a contragosto e ainda na fase de negação aos consultórios por familiares ou pessoas de convívio mais íntimo.
2) Os parentes, parceiros ou amigos dos *shopaholics* comparecem sozinhos à consulta, na tentativa de saber o que podem fazer para ajudá-los.
3) O próprio comprador compulsivo procura ajuda espontaneamente. Nesse caso, em geral, ele se apresenta sozinho e está diante de uma situação que costumo denominar "véspera do tsunami"; isto é, ele tem poucos dias para achar uma solução mágica para seus débitos ou para revelar a seu cônjuge ou aos pais que está sendo acionado judicialmente.

Após o reconhecimento do problema, vem o momento mais difícil para o comprador compulsivo: a aceitação. À primeira vista, reconhecer e aceitar parecem sinônimos; no entanto, existe uma diferença muito grande entre as duas posturas. *Reconhecer* denota a ação de declarar ou confessar. Quem reconhece que é um compulsivo por compras apenas admite ou confessa que tem um problema. Muitos pacientes em situações catastróficas utilizam essa prática apenas para solucionar problemas imediatos, como quitar dívidas, limpar o nome, recuperar o crédito na praça.

Já *aceitar* tem um significado bem mais profundo: aceitar é admitir a situação de fato, suportando as consequências. Quem aceita um contrato obriga-se por escrito a cumpri-lo, mesmo que isso contrarie sua vontade. Aceitar, além de reconhecer que a compulsão por compras saiu do controle, é se comprometer com uma mudança que só será possível se a pessoa tiver absoluta sinceridade com aqueles que querem e podem ajudá-la. É preciso também ter humildade para iniciar e persistir nesse caminho rumo à descoberta do que realmente existe de melhor dentro de si.

Tratamento especializado

Quando um *shopaholic* procura ajuda especializada, normalmente já está em uma situação bastante complicada, que não envolve apenas as dívidas em si, mas crises de ansiedade, depressão, fobia ou pânico. Além disso, é necessário observar se o paciente também apresenta outros quadros compulsivos que podem estar associados (comorbidades), tais como: o comer compulsivo, o jogo patológico, a dependência de drogas, a bulimia nervosa, a tricotilomania (compulsão de arrancar os cabelos), entre outros.

O tratamento é feito por meio de informação, terapêutica medicamentosa, abordagens psicoterápicas com estratégias comportamentais, grupos de ajuda, terapias complementares e neuromodulação. Além disso, o paciente precisa ter muita força de vontade e perseverança para que os resultados sejam satisfatórios.

Informação e conhecimento

Quanto mais informação e conhecimento o *shopaholic* tiver sobre o seu problema, mais capacitado estará para compreender as etapas de seu tratamento, bem como para contribuir para que ele se torne mais eficaz. O conhecimento é uma ferramenta transformadora da qual não podemos abrir mão, que pode ser adquirida por meio de literaturas, entrevistas, sites, blogs educativos, filmes e outras ferramentas confiáveis. Somente por meio do conhecimento é possível que o paciente tenha uma participação ativa no processo de recuperação.

Tratamento medicamentoso

Os principais alvos do tratamento medicamentoso para a compulsão por compras são os pensamentos obsessivos relacionados às compras e o descontrole do ato de comprar.

Para os pensamentos obsessivos, os antidepressivos mais utilizados são os inibidores seletivos da recaptação da serotonina (IRNS), tais como a fluoxetina, a sertralina e a fluvoxamina, e os inibidores seletivos de recaptação da noradrenalina e serotonina (IRNS), como a bupropiona e a venlafaxina. Eles apresentam baixa toxicidade, não criam dependência e são extremamente seguros. Quanto aos ansiolíticos, a buspirona é a substância de escolha por não apresentar risco de dependência ou vício.

Já para o controle da compulsão, alguns anticonvulsivantes se mostram eficazes na quebra do ciclo vicioso. Os que apresentam resultados mais favoráveis são o topiramato, a lamotrigina, a gabapentina e o ácido valproico.

É importante destacar que a naltrexona, um antagonista opioide, também tem demonstrado bons resultados como medicação complementar nos casos mais graves de compulsão. Essa substância tem o efeito de reduzir a sensação de recompensa gerada pela compulsão em si; ou seja, ela minimiza a "onda boa" do ato de comprar e desestimula a compulsividade.

Tratamento psicoterápico e intervenções comportamentais

O objetivo da psicoterapia e das intervenções comportamentais é fazer uma parceria com o medicamento para reduzir de forma efetiva e progressiva o desconforto criado pela compulsão, facilitar a recuperação e evitar recaídas.

A psicoterapia mais indicada para compulsão por compras é a terapia cognitivo-comportamental (TCC), pois permite mudanças na maneira de pensar, abrindo possibilidades para que o paciente tenha novos comportamentos frente às suas dificuldades diárias.

As intervenções comportamentais fazem parte da terapia cognitivo-comportamental, que se constituem em ações a serem tomadas com o intuito de dificultar o comportamento compulsivo. Tais medidas serão cobradas tanto pelo psicoterapeuta quanto pelo psiquiatra, pois avaliam de maneira objetiva o compromisso com o tratamento. Em outras palavras, essas medidas farão de tudo para "dificultar" a vida do comprador compulsivo e evitar as perigosas recaídas. As intervenções comportamentais devem ser construídas de forma individual, levando-se em consideração as características presentes em cada paciente. No entanto, acredito que as intervenções que relaciono a seguir possam ser úteis a qualquer indivíduo que apresente descontrole de consumo:

> **TOP 10 – Intervenções Comportamentais**
>
> 1 – Peça ajuda e/ou apoio a familiares e amigos. Ao fazer compras necessárias, busque sempre companhia para evitar as recaídas.
>
> 2 – Ocupe-se com novas atividades – ocupar-se é distrair-se!
>
> 3 – Leia livros e assista a vídeos educacionais relacionados ao assunto.
>
> 4 – Identifique os fatores desencadeadores ou que o estimulam a comprar e evite-os – inclusive lugares e pessoas.
>
> 5 – Rasgue os cheques, cancele os cartões de crédito e o cheque especial. Não pegue empréstimos nem parcele compras. Centralize suas dívidas e organize-se.
>
> 6 – Faça listas antes de sair para comprar. Antes de qualquer compra, crie o hábito de se perguntar a sua real necessidade; compre apenas o necessário e não saia do planejado!
>
> 7 – Nunca faça compras quando estiver emocionalmente abalado por brigas, tristeza, ansiedade ou após ingerir bebidas alcoólicas ou estimulantes.
>
> 8 – Não assista TV, principalmente antes de dormir.
>
> 9 – Cancele assinaturas de revistas, mala-direta, correspondências e e-mails de lojas e serviços; não entre em sites de compras na internet e bloqueie anúncios e propagandas.
>
> 10 – Faça um diário de consumo e gastos.

Grupos de apoio

Os grupos de ajuda, também chamados de grupos de apoio, reúnem pessoas com os mesmos tipos de problema e é um bom exemplo de como a união faz a força. Esses grupos são justamente para aquelas pessoas que precisam de um reforço positivo, acolhimento, apoio e incentivo persistente na luta diária contra as suas compulsões.

No Brasil, ainda não existem grupos de apoio específicos para compradores compulsivos, mas temos o grupo Devedores Anônimos (D.A.), que, além de acolher compradores compulsivos, dá apoio a qualquer um que esteja com problemas de dívidas. Ele oferece assistência por telefone, e-mail e on-line via chat, e as pessoas que se incorporam ao grupo são apadrinhadas por membros mais experientes, que se predispõem a ajudá-las nos momentos mais difíceis. É uma verdadeira demonstração de amor ao próximo. As reuniões do grupo geralmente são semanais, nas quais ocorrem trocas de ideias e experiências, dando aos novatos oportunidades de conhecer pessoas que passaram pelos mesmos problemas e superaram as adversidades.

Os Devedores Anônimos estão presentes em diversos estados, como São Paulo, Rio de Janeiro, Ceará, Rio Grande do Sul e Paraná, e conta com um expressivo número de membros. Para mais informações acerca do D.A., acesse os sites de São Paulo e do Rio de Janeiro: http://www.devedoresanonimos-sp.com.br/ e http://devedoresanonimos-rio.org.

Neuromodulação

A neuromodulação é uma abordagem terapêutica relativamente recente, com a qual áreas específicas do cérebro são estimuladas ou inibidas com o intuito de induzir a neuroplasticidade cerebral e otimizar seu funcionamento. Uma de suas técnicas é a Estimulação Magnética Transcraniana (EMT), na qual se aplica um campo magnético em uma região específica da superfície craniana. É um método indolor e seguro que não exige sedação e apresenta poucos efeitos colaterais. A neuromodulação vem sendo utilizada para diversos distúrbios neurológicos e comportamentais e já tem seu emprego aprovado pela Anvisa e reconhecido pelo Conselho Federal de Medicina.

Apesar de não termos ainda estudos conclusivos ou uma indicação formal especificamente para a compulsão por compras, em minha prática clínica, tenho observado bons resultados com a EMT no tratamento do transtorno obsessivo-compulsivo (TOC) e nos transtornos de ansiedade. Observo que a compulsão por compras, por apresentar-se dentro do espectro TOC, tem sido uma boa terapêutica complementar nos casos mais graves ou refratários aos tratamentos convencionais.

Outras abordagens

Levando-se em consideração que a compra compulsiva carrega consigo uma dose caprichada de ansiedade, eu não poderia deixar de mencionar medidas complementares que estão ganhando cada vez mais força e reconhecimento no meio científico nos tratamentos e na prevenção do estresse e da ansiedade. Entre elas, destaco a meditação transcendental, ioga, exercícios de relaxamento, exercícios aeróbicos, acupuntura etc.

Como evitar recaídas?

O próprio tratamento já consiste em uma prevenção da recaída. Frequentar grupos de ajuda, fazer psicoterapia, utilizar medicamentos adequados, seguir as intervenções estratégicas, fazer o diário do consumo de gastos: todas essas medidas previnem possíveis descontroles. No entanto, existem situações que realmente são proibidas, no mínimo, durante os dois primeiros anos de tratamento, e que resolvi sinalizar em forma de *cartão vermelho*.

PROIBIDO

→ Beber ou usar substâncias estimulantes antes e durante as compras, inclusive pela internet e pelo telefone.

→ Sair para comprar depois de uma briga ou quando se está muito ansioso, chateado, deprimido.

→ Pegar dinheiro emprestado.

→ Parcelar compras.

→ Usar cartão de crédito.

→ Comprar qualquer coisa de que não necessite.

→ Sair com amigos ou amigas de compras.

Dificuldades e desafios sempre aparecerão em nossa vida: é algo natural de nossa existência; cabe a nós driblarmos as adversidades e usarmos tais desafios para nosso fortalecimento e transformação. Desastres financeiros são experiências desestabilizadoras e difíceis de ser enfrentadas, mas não deixam de ser um bom motivo de reflexão sobre a nossa vida e sobre quem somos. Tais dificuldades podem nos fazer valorizar as coisas mais simples e verdadeiramente importantes da vida, trazer uma nova percepção e revelar quem são os verdadeiros amigos e o nosso verdadeiro *eu*. Viemos a este mundo despidos de qualquer bem material e, quando partirmos, levaremos somente a energia de nossa consciência.

Quanto mais você gasta tempo e dinheiro na aquisição de bens compráveis, menos tempo e energia restará para que possa desfrutar os bens mais valiosos — aqueles que o dinheiro não compra.

11
QUANTO VALE A FELICIDADE?
Está na hora de rever
nossos conceitos...

Provavelmente só quem já passou dos quarenta, cinquenta, sessenta anos vai se recordar da novela O *espigão*, ambientada no início da década de 1970. Escrita por Dias Gomes, a trama girava em torno da trajetória de uma família que morava em uma mansão, localizada numa grande área arborizada no bairro de Botafogo, na cidade do Rio de Janeiro. Na época, o crescimento imobiliário desmedido começava uma revolução da nova forma de viver e habitar os espaços urbanos. Os belíssimos casarões começavam a ser comprados de maneira acelerada e predatória por empreiteiros que, sem nenhum remorso ou consciência de valor histórico, os derrubavam e, em pouco tempo, os substituíam por arranha-céus sem curvas nem lembranças que exaltassem seus tempos de glória, glamour ou riqueza. As casas davam lugar a diversos blocos retangulares revestidos de vidro e concreto, em cujos espaços milhares de pessoas passavam a trabalhar e viver.

Na novela, os irmãos Camará, donos da mansão, tentam resistir bravamente às manobras ardilosas de um bem-sucedido empresário que pretende construir no local o Fontana Sky, um hotel com cinquenta andares, o maior e mais moderno edifício do Brasil em termos de tecnologia. Apesar de tanta relutância, os irmãos sucumbem às novas leis do mercado e, de forma melancólica, deixam para trás a casa e o terreno que por anos foram palco dos melhores momentos de suas existências. Na cena final, a sirene que antecede o início da demolição soa por longos minutos e, em poucos segundos, tudo vira pó a ser removido para o nascimento de um novo espigão.

Confesso que as novelas sempre me prenderam a atenção, e, para uma portadora de TDAH,[22] era um dos raros momentos em que minha mente se sentia em paz, sem os "ruídos" difusos que me exauriam nas demais horas do dia. Eram nesses horários que meus pais e a babá podiam descansar ou realizar seus afazeres com mais tranquilidade, já que a minha inquietude consumia toda a atenção e a energia deles. Para mim, as novelas das dez tinham um gostinho pra lá de especial, já que as cenas eram mais picantes e tratavam de enredos e textos mais elaborados e trabalhados. Graças a elas, adquiri grande parte de meu vocabulário, além de desenvolver senso crítico e refletir sobre assuntos que eram típicos de adultos: política, classes sociais, sistema econômico, valores éticos, regionalismo, cultura, religiosidade etc.

Meu pai também acompanhava essas novelas, especialmente se fossem de autoria do Dias Gomes. Por várias vezes ele sorria e pensava em voz alta: "Esse autor é danado: sabe passar mensagens de protesto e indignação nas falas de seus personagens... Que cara bom!".

Na novela *O espigão*, a minha ignorância ingênua, própria da idade, não permitiu entender por que aquela família se recusava, de forma tão veemente, a aceitar uma boa quantia de dinheiro por uma casa antiga que eles não tinham condições de manter.

---

22. Transtorno do déficit de atenção, tema do livro de minha autoria *Mentes inquietas: TDAH: desatenção, hiperatividade e impulsividade*.

Além disso, aquele dinheiro resolveria imediatamente grande parte dos seus problemas.

Hoje percebo que a minha mente infantil já estava bem adaptada à sociedade de consumo. Quarenta anos depois me encontro aqui, escrevendo *Mentes consumistas*, com todas essas lembranças que me tomam de assalto e me fazem refletir sobre o quanto o desconhecimento ou mesmo a ignorância é nocivo ao nosso desenvolvimento pessoal e social. Só é possível sermos pessoas melhores e aptas a exercer nosso livre-arbítrio se formos capazes de transformar as informações que recebemos em conhecimento sólido e que paute nossas decisões – sejam elas acertadas ou não. Afinal, o aprendizado advindo dos erros costuma nos ensinar de maneira mais eficaz a viver com mais assertividade. E isso ocorre por uma razão muito simples: o cérebro "marca" a ferro e fogo as experiências negativas em nossa memória justamente para que as lembranças do sofrimento vivido (ou experiências ruins) possam nos sinalizar novos e melhores caminhos.

Mas, afinal, o que novelas, infância, memórias, sentimentos, aprendizado, valores e impressões pessoais têm a ver com consumo, ou melhor, com felicidade? *Tudo*, absolutamente *tudo*! Vou tentar explicar a íntima relação entre todas essas elucubrações e a felicidade. Vamos por partes.

Felicidade nos tempos modernos

Inicialmente, responda-me sem pensar: você é feliz? Se ficou confuso ou desconcertado para dar uma resposta imediata, fique tranquilo: você é normal. Tal pergunta sempre nos leva a uma pausa mental para refletirmos sobre a vida.

A felicidade, antes de qualquer coisa, é um conceito totalmente subjetivo que, para a maioria de nós, representa algo semelhante (ou sinônimo) a um estado de espírito em que experimentamos uma "ausência de problemas", ou, ainda, uma "sensação de satisfação plena". Todo ser humano busca, durante a sua existência, ser feliz; sendo assim, a busca da felicidade é, em última instância, a razão de nossa vida. No entanto, surge aí um grande desafio: por sermos animais com essência social, nosso conceito de felicidade é totalmente dependente da sociedade em que vivemos e da cultura produzida e propagada por nossas relações interpessoais e coletivas.

A economia de mercado que alicerça nossos tempos nunca foi tão eficaz na produção de riquezas materiais. Hoje, no mundo inteiro, milhões de pessoas ascendem monetariamente e conquistam melhores padrões de vida; novos-ricos surgem em quantidade e velocidade jamais imaginadas. Pela lógica da sociedade consumista, se mais e mais pessoas estão tendo melhores condições financeiras, era de esperar que o número de pessoas felizes crescesse com o mesmo vigor. Especialmente no mundo ocidental, a correlação entre crescimento econômico e felicidade é uma das "verdades" mais difundidas e propagadas pelos economistas e líderes políticos mais respeitados. Em nosso país, a íntima relação nem sequer é questionada por nossos governantes: todos os projetos econômicos e sociais visam aumentar de forma imediata o poder de compra da população, e o programa Bolsa Família é a prova mais explícita dessa maneira de pensar. A "felicidade" do povo está sendo bem avaliada pela capacidade de consumo que as classes menos favorecidas adquiriram nos últimos anos. Infelizmente, a maioria absoluta da população parte do pressuposto de que quanto mais dinheiro se tem, mais felicidade ele gera. No entanto, diversos estudos sociais e antropológicos realizados em países prósperos, como Estados Unidos e Grã-Bretanha, revelaram que o aumento do padrão de vida da maioria de seus habitantes nos últimos trinta anos foi acompanhado por um ligeiro declínio na percepção subjetiva de bem-estar. A felicidade por eles percebida foi menor que a relatada no período "pré-revolução" consumista, que se efetuou de maneira expressiva no período pós-guerra, em que a renda *per capita* apresentou um crescimento vertiginoso. O sociólogo inglês Richard Layard foi mais preciso em suas observações: a partir de estudos comparativos de âmbito multinacional, ele concluiu que os índices de satisfação vital cresciam significativamente com o aumento do PIB de uma nação. No entanto, esse crescimento só era claramente observado até o ponto em que a carência e a pobreza davam lugar à satisfação das necessidades essenciais de sobrevivência. A partir desse ponto, a sensação de felicidade deixa de subir e tende a decrescer, mesmo com novos incrementos em termos de riqueza.

De forma diversa da esperada ou preconizada, aumentar a renda das pessoas não implica torná-las mais felizes. Paralelamente a essa descoberta, e, de certo modo, frustrante para todos nós, outra constatação bastante incômoda foi revelada por essas pesquisas: a taxa de criminalidade – essa, sim – apresentava um crescimento mais rápido e significativo à medida que se aumentava o nível de geração de riquezas materiais de uma nação. O número de roubos, subornos, corrupção e tráfico de drogas mostrou um crescimento espetacular, tal qual se esperava que ocorresse com a sensação de felicidade pessoal frente ao aumento da riqueza econômica de um país.

Os estudos sociais se mostraram totalmente compatíveis com as pesquisas científicas realizadas sobre a felicidade humana por meio da prática clínica de milhares de psicólogos, médicos e assistentes sociais que lidavam diariamente com as mazelas da condição humana. Em minha vida profissional, pude perceber, de forma clara e factual, que aproximadamente 50% a 60% dos "ingredientes essenciais" para a percepção e a vivência da felicidade humana não têm preço de mercado nem podem ser comprados em nenhum estabelecimento comercial destinado à aquisição de bens de consumo. Quando se trata de amor, amizade, autoestima (advinda do trabalho bem-feito ou de exercício pleno de um talento), reconhecimento, respeito ou, ainda, da paz interior, do altruísmo e da generosidade para com o semelhante, todos somos iguais, independentemente de nossas condições financeiras. Todo ser humano incapaz de amar não passa de um miserável – isso, para mim, sintetiza bem a condição humana diante das coisas que realmente importam quando nos referimos à felicidade e sua parcela não material.

A meu ver, é fácil entender o decréscimo da sensação de satisfação geral diante do aumento do poder aquisitivo de grande parte da população: ter mais dinheiro cria a ilusão perigosa de que tudo pode ser comprado. No meio dos tubarões executivos, uma afirmação pode ser ouvida com bastante frequência: "Todo mundo tem um preço". Esta frase traduz o delírio que costuma se apoderar da mente de pessoas que passam a ganhar bastante dinheiro. Dinheiro pode, sim, comprar muitas coisas, mas todas elas precisam ser ou virar mercadoria para ser consumidas. Você pode até criar e viver, por um tempo, a ilusão de que o dinheiro compra amores e/ou amigos, mas o máximo que vai conseguir são "avatares" passando-se por eles. Amizade e amor verdadeiros são coisas bem diferentes.

Outro aspecto que também contribui para a "perda" de felicidade diante do ganho significativo do dinheiro é o ônus pago em forma de tempo e energia necessários (normalmente em lojas e shoppings) para adquirir e usufruir os bens compráveis. E, quanto mais você gasta tempo e dinheiro na aquisição de bens compráveis, menos tempo e energia restará para que possa desfrutar os bens mais valiosos – aqueles que o dinheiro não compra.

É interessante observar que, paralelamente, diversos produtos para nosso consumo prometem nos poupar tempo e esforços, como se isso fosse algo muito bom. Todos nós já estamos cansados de ver anúncios e catálogos de compras que destacam seus produtos com "Não perca mais tempo: fique com o abdome sarado com poucos minutos ao dia"; "Não gaste mais tempo cozinhando: com apenas um toque, sua comida está pronta"; "Agora limpar a casa ficou fácil e rápido: com o aspirador de pó robô sua casa estará limpa em minutos". É claro que nenhum fabricante de produtos está interessado em economizar nosso tempo para que de fato possamos relaxar e descansar. Esse tipo de apelo se utiliza da nossa rotina sobrecarregada somente para vender produtos que nos criam a ilusão de que teremos mais tempo disponível. Numa sociedade consumista, tudo é feito para reduzir ao máximo o período que dedicamos a atividades que não são lucrativas, como caminhar e andar de bicicleta em parques públicos, por exemplo.

Os componentes não compráveis da felicidade possuem um caráter coletivo e interpessoal que somente as relações com o outro podem nos oferecer. Nesse aspecto, destaco o amor, a amizade, o companheirismo, o reconhecimento do trabalho ou mesmo o respeito dos que fazem parte do nosso dia a dia. Entre os bens não negociáveis que contribuem de forma decisiva para a nossa satisfação mais ampla e de maneira mais pessoal estão o prazer e o orgulho de fazer algo bem-feito. Todos nós guardamos em nosso íntimo um instinto de artesão: existe uma satisfação que só pode ser atingida quando somos capazes de transcender nossas próprias limitações ou dificuldades. A verdadeira autoestima só pode ser construída sobre as bases fortes do exercício de nossas habilidades, da dedicação, do aprendizado advindo das dificuldades e da superação dos obstáculos inicialmente percebidos como insuperáveis. É claro que essa construção precisa de tempo, pois somente ele é capaz de aperfeiçoar e/ou ampliar nossas habilidades no caminho que leva ao orgulho e ao respeito por nós mesmos ao exercermos nosso instinto de artesãos criadores.

Felicidade como mercadoria

Por mais que os estudos revelem que o grau de felicidade não aumenta proporcionalmente com o poder aquisitivo das pessoas, o mercado insiste em preservar a velha e generalizada crença de que existe um vínculo íntimo entre quantidade e qualidade de consumo e felicidade. Essa grande mentira tem que ser mantida, já que o mercado depende dela para continuar produzindo lucros intermináveis. O sucesso dessa farsa ideológica é propagado com força viral pelo marketing, que transforma o ato de consumir na eterna busca da felicidade.

Se a felicidade é igualada a uma mercadoria, ela passa a ser um produto como outro qualquer, o qual deve ser adquirido com volúpia e descartado com rapidez para que a engrenagem do lucro não desaqueça nunca. Na sociedade consumista, a felicidade deixa de ser uma percepção subjetiva de vida plena e satisfatória para ser uma corrida "sem pódio de chegada ou beijo de namorada", como dizia Cazuza. De maneira ardilosa e quase imperceptível, a felicidade é vendida agora como uma sensação de alegria intensa e fugaz que se vivencia no ato da compra. Sendo assim, os indivíduos que se tornaram consumidores abusivos e/ou compulsivos caíram na armadilha de tentar possuir a felicidade a qualquer custo; como beduínos desesperados no deserto, eles se deixaram iludir pelas alucinações visuais de um oásis inexistente.

A meu ver, o consumo excessivo e descontrolado se constitui no retrato fidedigno de uma sociedade onde quase tudo já está à venda. E, se continuarmos cegos, indiferentes ou envoltos nos delírios consumistas, viveremos em um mundo ainda mais inóspito, marcado pela desigualdade abissal entre seus semelhantes e pela corrupção que tenderá a estabelecer preços para as coisas que o dinheiro não pode comprar. Quanto vale a moral e a ética?

A moral dos mercados

Vamos refletir um pouco: se o mercado, com a ajuda de seu "primo-irmão" marketing, oferece a felicidade como uma mercadoria a ser comprada e se sabemos que ela é algo subjetivo e, por isso mesmo, impossível de ser adquirido tanto no varejo como no atacado, é de esperar que qualquer coisa tenha um preço dentro do cenário da ilusão e da farsa. Sim, infelizmente isso ocorre com quase tudo! Só para exemplificar alguns valores:

→ barriga de aluguel: se for indiana, pode valer até US$ 7 mil;
→ regalias em celas de penitenciárias: de US$ 70,00 a US$ 90,00 ao dia nos Estados Unidos;

→ voto nas eleições: cesta básica a R$ 200,00 no Brasil;
→ ter permissão de caça do rinoceronte negro (espécie em extinção) na África do Sul: US$ 150 mil;
→ promover atos de violência contra policiais, instituições privadas e particulares em passeatas de protesto: R$ 150,00 por pessoa no Rio de Janeiro;
→ vender um lugar na fila do posto de saúde: até R$ 200,00 no Rio de Janeiro;
→ participar do contingente militar norte-americano nos combates do Afeganistão: de US$ 250,00 a US$ 1.000,00 ao dia;
→ vender um rim para alguém que precise de transplante: US$ 10 mil na Índia;
→ comprar uma criança do sexo feminino: US$ 20 mil na China;
→ a virgindade de uma menina de doze anos na região Norte do Brasil: R$ 500,00 a R$ 5.000,00.

Parte desses itens citados é referente a vendas legalizadas em alguns países, e parte é ilegal, mas ocorrem assim mesmo pela corrupção que se alastra por todo o sistema de maneira metastática.

Nas últimas três décadas, vivemos a era do esplendor da economia de mercado, e seus princípios e valores passaram a pautar nossa vida como jamais ocorreu. Após o término da Guerra Fria, as políticas econômicas e suas ideologias passaram a ser totalmente pautadas na economia de mercado. E é fácil entender o porquê desses acontecimentos: nunca um mecanismo de produção e distribuição de bens e consumo tinha se mostrado tão eficaz na geração de prosperidade. Por essa razão, um número cada vez maior de países em todo o mundo adotou os princípios da economia de mercado. Esse fato pode ser exemplificado com a República Comunista da China, que se tornou uma das três potências mundiais ao seguir à risca as regras e os valores do mercado.

O grande problema gerado por essa nova gestão econômica é que os valores de mercado deixaram de ser restritos aos aspectos da economia de compra e venda de bens materiais; eles passaram a governar, de forma crescente e imperialista, nossa vida como um todo, inclusive ditando a maneira como pensamos e agimos na sociedade. Nesse processo de expansão, os valores de mercado foram, muitas vezes, varrendo para debaixo dos "tapetes sociais" os princípios morais e éticos responsáveis por manter a sociedade com as melhores faces da essência humana.

Citando novamente o poeta Cazuza: "Ideologia, eu quero uma pra viver". Pois é, nós também! Nesse cenário consolidado não há ideologia; o que existe é uma maneira de organização formatada para aumentar e salvaguardar sempre a atividade produtiva.

Para onde caminhamos?

Em tempos de globalização, não dá mais para falar de soluções locais ou restritas a certas comunidades ou países. De forma geral, especialmente no mundo ocidental, todos estamos sob a regência ditatorial dos valores atuais do mercado. Um grande e compromissado debate deve ser iniciado para que mudanças sejam implementadas o quanto antes. Teremos que decidir em um grande "contrato" mundial quais devem ser o papel e o alcance dos mercados e que regras morais serão estabelecidas para determinar quais "bens" podem ser vendáveis e quais precisam ser inegociáveis para que a essência da humanidade seja preservada. O desafio é gigantesco, pois a cultura do mercado foi tão fortemente tatuada em nossa mente que a crise financeira de 2008 foi tratada pelos governos e instituições privadas como um simples erro de cálculo. Essa crise estampou, para quem quisesse e pudesse ver, o espetacular fracasso dos mercados em se autocorrigir graças à ganância desmedida de seus operadores – especialmente dos banqueiros e dos executivos das grandes corporações ligadas a Wall Street, nos Estados Unidos. E mais: expôs o funcionamento disseminado dos mercados, capazes de estender seus valores amorais a territórios da vida humana que precisam ser pautados por regras morais e sentimentos éticos. Se não houver mudanças profundas, deixaremos de ser uma sociedade para nos tornar um amontoado de seres desprovidos de consciência, habitando a grande selva tecnológica em que o mundo está se transformando. O aumento exponencial da criminalidade e da corrupção é a prova mais fidedigna dessa realidade.

A escravidão, essa passagem desbotada na história da humanidade, já nos mostrou como os seres humanos podem ser ultrajados e desrespeitados quando são tratados como meras mercadorias geradoras de lucro. Esse mesmo raciocínio pode ser estendido a situações degradantes que constatamos por meio de fatos divulgados pela grande mídia, que incluem a venda de crianças ou votos em eleições políticas e o tráfico humano. Não faltam pessoas querendo comprar crianças, muitas delas imbuídas com as melhores intenções, mas o princípio ético-moral deve prevalecer: crianças não são objetos de consumo e ponto final. O mesmo vale para o voto político. Infelizmente, sabemos que existe um contingente de políticos interessados em sua compra; no entanto, o voto é uma representação de nossos deveres cívicos e de nossa responsabilidade pública: não pode ser comercializado e ponto final.

Confesso que eu esperava que o desequilíbrio financeiro de 2008 provocasse uma reavaliação moral do mercado, uma vez que ela jogou os Estados Unidos e grande parte da economia global na mais grave crise econômica do século XXI. Somente a crise da década de 1930 (denominada Grande Depressão) produziu tantos transtornos sociais e tamanho desemprego.

É claro que estamos todos tão condicionados aos valores e aos confortos da sociedade consumista que fingimos que, de alguma forma, tudo se resolverá. Mas devo salientar que pensar assim é, de certa forma, uma falta de responsabilidade social e uma postura deveras egoísta.

Escolhas e consciência

Se pararmos um pouco para refletir, em questão de minutos poderemos chegar à conclusão de que a vida é uma experiência desprovida de sentido lógico. Nascemos totalmente dependentes dos cuidados de outros seres, crescemos, aprendemos, tornamo-nos independentes, e, mais cedo ou mais tarde, tudo o que fomos deixará de existir.

Nós, seres humanos, nos orgulhamos tanto de ser animais racionais e de ocupar o topo da hierarquia biológica na Terra que chega a ser contraditório o fato de insistirmos tanto em lutar pela vida, já que a morte é o nosso destino. Seria esse comportamento uma burrice típica da espécie ou uma percepção inconsciente de que a vida tem um objetivo muito mais amplo que simplesmente nascer, crescer e morrer?

Independente de qualquer ponderação filosófica, científica ou religiosa, realmente acredito que a existência humana guarda em si um propósito diverso e intransferível para cada um de nós. Para a sua realização, recebemos a matéria-prima básica (constituída de nossa herança genética), e, com o decorrer do tempo, vamos recebendo informações, testando novas realidades, acumulando conhecimentos, e o que era apenas um "esboço" de gente adquire uma identidade própria e exclusiva. Somos todos feitos de carbono e hidrogênio, como os outros seres vivos que conhecemos. Mas, por algum motivo, sobre o qual não temos nenhum domínio, também somos dotados de livre-arbítrio e da extraordinária capacidade de *ser* conscientes. O livre-arbítrio é o poder que cada ser humano tem de escolher suas ações ou os caminhos a seguir, tanto para o bem quanto para o mal. Ele é totalmente ligado à razão, e, como tal, prioriza as atitudes que reforçam e promovem o individualismo (realização e satisfação pessoais ou individuais).

O livre-arbítrio é interpretado pela maior parte da humanidade como o poder da liberdade de escolher a qualquer momento aquilo que lhe dê prazer, de preferência, imediato. Essa interpretação distorcida tem contribuído para que os comportamentos compulsivos se tornem cada vez mais numerosos entre a nossa espécie. Todos querem a liberdade de ser felizes aqui e agora. As compulsões por compras, alimentos, corpos perfeitos, drogas em geral, beleza eterna, jogos diversos etc., demonstram a tendência humana de criar ilusões e acreditar sempre em soluções mágicas ou milagrosas para a árdua tarefa de esculpir, na pedra da vida, uma história que dê significado a nossa existência.

Para superarmos de fato um comportamento disfuncional contumaz e desprovido de sentido transcendente, como o vício por bens materiais, precisamos muito mais que informação, conhecimento, vontade, suporte médico e psicológico. Antes de tudo, necessitamos desenvolver e aperfeiçoar a nossa consciência.

A consciência, como já detalhei no livro *Mentes perigosas*,[23] é a estrutura essencial e determinante da nossa índole. É ela que nos impulsiona a ser éticos e morais e nos capacita a amar e a nos responsabilizar pelos outros. Sem a voz plena da consciência, teríamos apenas uma existência limitada e de total isolamento afetivo. É a consciência que nos faz *ser* humano em toda a sua plenitude – um ser que vive para o bem comum.

Um exemplo da plena presença da consciência humana foi a atitude de muitos poloneses durante a ocupação nazista de seu país ao assumirem o risco de abrigar judeus em sua casa. Nessa época, o cidadão polonês era obrigado por lei a denunciar e entregar qualquer pessoa de origem judaica. Mesmo contra a lei, vários poloneses arriscaram a própria vida (e muitos morreram por isso) para salvar outras vidas humanas. E por que o fizeram? Porque não suportariam a condenação eterna decretada pelo júri de sua consciência.

Em uma sociedade consumista como a nossa, os valores dos mercados são ostensivamente imputados em nossa vivência diária, e isso tende a distorcer a maneira pela qual "moldamos" a nossa existência. Os prazeres imediatos, a insatisfação constante e as ideologias manipuladoras fazem com que algumas escolhas sejam mais prováveis que outras – como a escolha feita pela maioria dos poloneses em denunciar e entregar os judeus. Porém a consciência amorosa e empática de muitos é capaz de desafiar todas as possibilidades. Nesse cenário de imprevisibilidades, nossa existência é uma espécie de barro essencial sobre o qual nos debruçamos no intuito de construir a melhor obra de arte que pudermos.

---

23. *Mentes perigosas: o psicopata mora ao lado.*

Acredito firmemente que estamos aqui para nos aperfeiçoar como seres humanos, cada um de seu jeito, promovendo uma lapidação interna a partir dos nossos sentimentos e da consciência. E eu ousaria acrescentar que a lapidação vital é a única coisa que levaremos conosco quando nossa jornada física se findar.

Sites úteis

DEVEDORES ANÔNIMOS – SÃO PAULO
http://www.devedoresanonimos-sp.com.br

DEVEDORES ANÔNIMOS – RIO DE JANEIRO
http://devedoresanonimos-rio.org

INSTITUTO AKATU – CONSUMO CONSCIENTE PARA UM FUTURO SUSTENTÁVEL
http://www.akatu.org.br

INSTITUTO AKATU MIRIM
http://www.akatumirim.org.br

INSTITUTO ALANA
http://alana.org.br

MATERIALISTAS ANÔNIMOS (M.A.)
http://www.materialistasanonimos.org

PORTAL DO MEIO AMBIENTE
http://www.portaldomeioambiente.org.br

Bibliografia

AKATU MIRIM. Disponível em: <http://www.akatumirim.org.br/>. Acesso em 20 ago. 2013.

AMERICAN PSYCHIATRIC ASSOCIATION – DSM-IV-TR. *Referência rápida aos critérios diagnósticos*. 4ª ed. Porto Alegre: Artmed, 2003.

_____. *Manual diagnóstico e estatístico de transtornos mentais*. 4ª ed. rev. Porto Alegre: Artmed, 2002.

BARBER, Benjamin. *Consumindo: como o mercado corrompe crianças, infantiliza adultos e engole cidadãos*. São Paulo: Record, 2009.

BAUMAN, Zygmunt. *A arte da vida*. Rio de Janeiro: Jorge Zahar, 2009.

_____. *Amor líquido: sobre a fragilidade dos laços humanos*. Rio de Janeiro: Jorge Zahar, 2003.

_____. *Vida para consumo: a transformação de pessoas em mercadoria*. Rio de Janeiro: Jorge Zahar, 2008.

BENSON, April. *Who needs help? Three ways to know if you are a overshopper*. Disponível em: <http://www.shopaholicnomore.com/documents/WhoNeedsHelp.pdf>, 2011. Acesso em 16 nov. 2013.

_____. Disponível em: <http://www.shopaholicnomore.com/category/proven-strategies/>. Acesso em 16 nov. 2013.

BLACK, Donald. *A review of compulsive buying disorder.* World Psychiatry 6, 2007.

BRASIL. Câmara dos Deputados. Projeto de Lei: PL 5921/12, apresentado em 12 de dezembro de 2001. Disponível em: <http://www.camara.gov.br/proposicoesWeb/fichadetramitacao?idProposicao=43201>. Acesso em 20 ago. 2013.

CABALLO, Vicente E. *Manual de transtornos de personalidade: descrição, avaliação e tratamento.* São Paulo: Livraria Santos, 2008.

CÂMARA LEGISLATIVA BRASILEIRA. *Imposição do consumismo a crianças viola a Constituição, diz conselheira.* Disponível em: <http://www2.camara.leg.br/camaranoticias/noticias/DIREITOS-HUMANOS/423816-IMPOSICAO-DO-CONSUMISMO-A-CRIANCAS-VIOLA-A-CONSTITUICAO,-DIZ-CONSELHEIRA.html>. Acesso em 20 ago. 2013.

CHOPRA, Deepak. *A cura quântica.* 48ª ed. Rio de Janeiro: Best Seller, 2013.

COSTA, Cristiane. *Eu compro essa mulher: romance e consumo nas telenovelas brasileiras e mexicanas.* Rio de Janeiro: Jorge Zahar, 2000.

DAMÁSIO, António R. *O erro de Descartes: emoção, razão e o cérebro humano.* São Paulo: Companhia das Letras, 1999.

DAVIS, Melinda. *A nova cultura do desejo: os segredos sobre o que move o comportamento humano no século XXI: 5 estratégias novas e radicais para mudar seus negócios e sua vida.* Rio de Janeiro: Record, 2003.

DE MASI, Domenico. *O ócio criativo.* Rio de Janeiro: Sextante, 2000.

DESMOND, John. *Consuming behavior.* Nova York: Palgrave Macmillan, 2003.

DEVEDORES ANÔNIMOS. Disponível em: <http://www.devedoresanonimos-sp.com.br/site/>. Acesso em 08 fev. 2013.

DOWLING, Colette. *Complexo de sabotagem: como as mulheres tratam dinheiro.* 2ª ed. Rio de Janeiro: Rosa dos Tempos, 2000.

DOOLEY, Roger. *Brainfluence: 100 ways to persuade and convince consumers with neuromarketing.* Hoboken, Nova Jersey: John Wiley & Sons, 2012.

DU PLESSIS, Erik. *The branded mind: what neuroscience really tells us about the puzzle of the brain and the brand.* Filadélfia: Milward Brown, 2011.

FALZON, Krissy. *101 ways to stop shopping and start saving.* Saint Bernardino: Krissy Falzon, 2011.

Forbes, Jorge. *Você quer o que deseja?* 3ª ed. São Paulo: Best Seller, 2004.
Fromm, Erich. *Ter ou ser?* 4ª ed. São Paulo: Grupo Editorial Nacional, 2011.
Hauck, Paul. *Como lidar com pessoas que te deixam louco: um guia para sobreviver a chefes tiranos, amantes egoístas e colegas difíceis.* Rio de Janeiro: Objetiva, 1998.
Herculano-Houzel, Suzana. *O cérebro nosso de cada dia: descobertas da neurociência sobre a vida cotidiana.* Rio de Janeiro: Vieira & Lent, 2002.
_____. *Sexo, drogas, rock 'n' roll & chocolate: o cérebro e os prazeres da vida cotidiana.* Rio de Janeiro: Vieira & Lent, 2003.
Higgins, Edmund S. & George, Mark S. *Neurociências para psiquiatria clínica: fisiopatologia do comportamento e da doença mental.* Porto Alegre: Artmed, 2010.
Instituto Alana. Disponível em: <http://defesa.alana.org.br/post/29103602505/alana-defesa>. Acesso em 20 ago. 2013.
Kapczinski, Flavio et alii. *Bases biológicas dos transtornos psiquiátricos.* 2ª ed. Porto Alegre: Artmed, 2004.
Klein, Naomi. *Sem logo: a tirania das marcas em um planeta vendido.* 4ª ed. São Paulo: Record, 2004.
Koob, George F. & Volkow, Nora D. *Neuropsychopharmacology Reviews,* 35. Nova York: Nature Publishing Group, 2010.
Koran, L. M. et alii. "Estimated prevalence of compulsive buying behavior in the United States." *Am J Psychiatry,* 2006; 163:1806-12.
Lindstrom, Martin. *A lógica do consumo: verdades e mentiras sobre por que compramos.* Rio de Janeiro: Nova Fronteira, 2009.
_____. *Buyology: Truth and lies about why we buy.* Nova York: Broadway Books, 2010.
_____ & Seybold, Patricia B. *Branded child: remarkable insights into the mind of today's global kids and their relationships with brands.* Ed. rev. Londres: Kogan Page, 2004.
Linn, Susan. *Consuming kids: protecting our children from the onslaught of marketing and advertising.* Nova York: Anchor Books, 2004.
_____. *Crianças do consumo: a infância roubada.* São Paulo: Instituto Alana, 2006.

LIPOVETSKY, Gilles & ROUX, Elyette. *O luxo eterno: da idade sagrada ao tempo das marcas*. São Paulo: Companhia das Letras, 2005.

MAYO, Ed & NAIRN, Agnes. *Consumer kids: how big business is grooming our children for profit*. Londres: Constable & Robinson, 2009.

MÜLLER, Astrid et alii. *Compulsive buying: clinical foundations and treatment*. Londres/NovaYork: Routledge-Taylor and Francis Group, 2011.

O'MALLEY, Mary. *Um impulso irresistível: uma nova abordagem para o tratamento das compulsões*. São Paulo: Melhoramentos, 2007.

ORGANIZAÇÃO MUNDIAL DA SAÚDE. *Classificação estatística internacional de doenças e problemas relacionados à saúde*. CID-10, EDUSP: São Paulo, 1997.

PADILHA, Valquíria. *Shopping center: a catedral das mercadorias*. São Paulo: Boitempo, 2006.

PALAIAN, Sally. *Spent: break the buying obsession and discover your true worth*. Parte 2. Center City: Hazelden, 2009.

PERCY, Allan. *Oscar Wilde para inquietos: 99 máximas de um dos maiores gênios da literatura para viver com autenticidade e paixão*. Rio de Janeiro: Sextante, 2012.

PUBLICAÇÕES AKATU. Disponível em: <http://www.akatu.org.br/Publicacoes/Dinheiro-e-Credito>. Acesso em 20 ago. 2013.

REIS, Daniela. "Por que consumimos tanto?" *Akatu*. Disponível em: <http://www.akatu.org.br/Temas/Consumo-Consciente/Posts/Por-que-consumimos-tanto>. Acesso em 20 ago. 2013.

REVISTA CRESCER. Disponível em: <http://revistacrescer.globo.com/Revista/Crescer/0,,EMI151548-18163,00.html>. Acesso em 18 jun. 2013.

ROCHA, Carmem Lucia Antunes. *Direitos de/para todos*. 2ª ed. Belo Horizonte: Fórum, 2008.

SANDEL, Michael J. *O que o dinheiro não compra: os limites morais do mercado*. Rio de Janeiro: Civilização Brasileira, 2012.

SELIGMAN, Martin E. P. *Felicidade autêntica: usando uma nova psicologia positiva para a realização permanente*. Rio de Janeiro: Objetiva, 2004.

SILVA, Ana Beatriz B. *Bullying: mentes perigosas nas escolas*. Rio de Janeiro: Fontanar, 2009.

_____. *Mentes e manias. TOC: transtorno obsessivo-compulsivo*. Rio de Janeiro: Fontanar, 2008.

_____. *Mentes perigosas. O psicopata mora ao lado.* 2ª ed. São Paulo: Principium, 2014.

_____ & MELLO, Eduardo. *Sorria, você está sendo filmado!* 2ª ed. São Paulo: Gente, 2004.

SOUZA, Brian. *Seja você mesmo! Todos têm um dom... você já descobriu o seu?* Rio de Janeiro/São Paulo: Campus/Elsevier, 2007.

STAHL, Stephen M. *Stahl's essential psychopharmacology: neuroscientific basis and practical applications.* Cap. 14. 4ª ed. Nova York: Cambridge University Press, 2013.

TEIXEIRA, Gustavo. *O reizinho da casa: manual para pais de crianças opositivas, desafiadoras e desobedientes.* Rio de Janeiro: Best Seller, 2014.

TRIGUEIRO, André. *Mundo sustentável: abrindo espaço na mídia para um planeta em transformação.* São Paulo: Globo, 2005.

ZURAWICKI, Leon. *Neuromarketing: exploring the brain of the consumer.* Londres/Nova York: Springer, 2010.

Contatos da
Dra. Ana Beatriz Barbosa Silva

Homepage: www.draanabeatriz.com.br
E-mail: contato@draanabeatriz.com.br
abcomport@gmail.com
Twitter: twitter.com/anabeatrizpsi
Facebook: facebook.com/anabeatriz.mcomport
YouTube: youtube.com/anabeatrizbsilva
Instagram: instagram.com/anabeatriz11

Este livro, composto na fonte Fairfield,
foi impresso em papel offset 90g na Leograf.
São Paulo, outubro de 2024.